**EU QUE NUNCA CONHECI OS HOMENS**

# EU QUE NUNCA CONHECI OS HOMENS

## JACQUELINE HARPMAN

**TRADUÇÃO**
Diego Grando

5ª impressão

Porto Alegre • São Paulo

2025

**AMBASSADE DE FRANCE AU BRÉSIL**
*Liberté
Égalité
Fraternité*

Cet ouvrage, publié dans le cadre du Programme d'Aide à la Publication année 2021 Carlos Drummond de Andrade de l'Ambassade de France au Brésil, bénéficie du soutien du Ministère de l'Europe et des Affaires étrangères.

Este livro, publicado no âmbito do Programa de Apoio à Publicação ano 2021 Carlos Drummond de Andrade da Embaixada da França no Brasil, contou com o apoio do Ministério Francês da Europa e das Relações Exteriores.

*Para Denise Geilfus,*
*pela amizade.*

**A**gora que eu praticamente não saio mais, passo bastante tempo numa das poltronas, relendo os livros. Só vim a me interessar pelos prefácios muito recentemente. Neles os autores falam de peito aberto sobre si mesmos, explicam os motivos pelos quais escreveram a obra em questão. Isso me deixa surpresa: quer dizer que naquele mundo não era mais simples transmitir os conhecimentos adquiridos do que no mundo em que vivi? Com frequência eles parecem sentir a necessidade de enfatizar que não há vaidade em sua empreitada, que foram convidados a escrever e que hesitaram antes de aceitar. Que coisa curiosa! Isso me leva a crer que as pessoas não eram sedentas por aprender e que era preciso ficar se desculpando por querer transmitir seus conhecimentos. Ou então eles dizem isso porque consideraram oportuno publicar uma nova tradução de Shakespeare, pois as anteriores, por mais louváveis que fossem, apresentavam essa ou aquela imperfeição. Mas por que traduzir, se era provavelmente tão fácil aprender os diferentes idiomas e ler todos os livros que se desejasse sem passar por um intermediário? Essas coisas me deixam totalmente perplexa. É óbvio que eu sou um tanto ignorante: aparentemente, eu sei ainda menos do que acreditava saber. Eles falam com gratidão daqueles que os formaram, que lhes abriram as portas para esse ou aquele campo de conhecimento, e como não tenho a mínima ideia do que é isso, geralmente leio com certa indiferença. Mas ontem, de repente, meus olhos se encheram de lágrimas, eu pensei em Théa, e uma terrível onda de tristeza tomou conta de mim. Eu conseguia vê-la, sentada na beirada de um colchão, os joelhos para um lado, costurando pacientemente, com a péssima linha que fizeram com fios de cabelos trançados e que quebrava o tempo todo, parando para olhar para mim, espantada, pronta para perceber minha ignorância e me ensinar o que ela sabia, lamentando que fosse tão pouco, e eu senti que aquilo me dilacerava e comecei a soluçar. Eu nunca tinha chorado. Eu estava tão horrivelmente desolada que o câncer fez meu estômago doer, e eu, que nunca falo, porque não tem ninguém para me escutar, comecei a chamá-la, repetindo Théa!, Théa!, incapaz de tolerar que ela não estivesse ali, que ela tivesse deixado a morte se apoderar dela, arrancá-la dos meus braços desajeitados, eu me culpei por não tê-la impedido, por ter entendido que ela não aguentava mais, e disse a mim mesma que a abandonara porque eu era inflexível, como tenho sido a minha vida inteira, como serei quando morrer, que eu não conseguia abraçá-la com afeto, que meu coração estava congelado, insensível, e que eu não tinha percebido que estava desesperada.

Nunca estive tão abalada assim, e teria até jurado que isso não poderia acontecer comigo. Eu tinha visto as mulheres tremerem, chorarem, gritarem, e permanecia alheia ao drama delas, testemunhando movimentos que me pareciam ininteligíveis, em silêncio, mesmo quando eu fazia o que elas pediam que eu fizesse para ajudá-las. Claro, todas nós estávamos enredadas na mesma tragédia, tão poderosa, tão total que eu era insensível ao que não viesse dela, mas acabei achando que eu era diferente. E ali, sacudida pelos soluços, me vi encurralada, me dando conta, tarde demais, excessivamente tarde, que eu também tinha amado, que eu era capaz de sofrer e que, em suma, eu era humana.

Eu tinha a impressão de que aquela dor nunca iria diminuir, que ela havia se apossado de mim de uma vez por todas, que ela me impediria definitivamente de me dedicar a qualquer outra coisa que não fosse a ela mesma, e que eu estava consentindo com aquilo. Acho que é isso que chamam ser consumido pelo remorso. Eu não seria mais capaz de me levantar, de pensar, nem mesmo de preparar minha comida, me deixaria definhar lentamente, e sentia uma espécie de prazer sombrio em me imaginar entregue ao desespero, e então o sofrimento físico voltou, tão brutal e agudo que me distraiu do sofrimento moral. E eis que eu, que inevitavelmente nunca me divirto, achei alguma graça nessa alternância e, como já estava dobrada sobre mim, comecei a rir.

Quando a dor diminuiu, me perguntei se eu já tinha rido antes. As mulheres riam com frequência, e eu tinha a impressão de ter me juntado a elas algumas vezes, mas sem muita certeza. Foi aí que me dei conta que eu não pensava nunca no passado, eu vivia num presente perpétuo e estava gradualmente esquecendo a minha história. Primeiro dei de ombros, dizendo a mim mesma que não seria uma grande perda, uma vez que nada havia acontecido comigo, mas, logo em seguida, esse pensamento me chocou. Afinal de contas, se eu era um ser humano, minha história era tão importante quanto as do rei Lear ou do príncipe Hamlet, que o tal William Shakespeare tinha se dado ao trabalho de contar em detalhes. A decisão foi sendo tomada quase sem que eu me desse conta: eu faria como ele. Aprendi a ler fluentemente com o passar dos anos, escrever é bem mais difícil, mas eu nunca recuei diante de uma dificuldade. Tenho papel, muitos lápis, talvez já não tenha tanto tempo. Como agora não saio mais para as expedições e não tenho nenhuma outra ocupação: decidi começar já. Fui até a despensa, tirei a carne que iria comer na próxima refeição e deixei descongelando: assim, quando a fome viesse, minha comida estaria pronta num instante. Depois me instalei na mesa grande e comecei a redigir.

No momento em que escrevo estas linhas, meu relato está pronto. Tudo ao meu redor está organizado e eu cumpri a última tarefa a que me propus. Isso me exigiu apenas um mês, que talvez tenha sido o mais feliz da minha vida. Não entendo isso: afinal de contas, tudo o que eu recordava era aquela existência estranha que não tinha me trazido grandes alegrias. Será que existe, no trabalho da memória, uma satisfação que se alimenta de si mesma, e aquilo que lembramos conta menos do que o ato de lembrar? Essa é mais uma questão que vai ficar sem resposta: parece que eu sou feita só disso.

**N**o mais longe que consigo voltar, estou no porão. Será isso que chamam de lembranças? Nas raras ocasiões em que as mulheres concordaram em me contar alguns momentos das suas histórias, havia acontecimentos, idas e vindas, homens: quanto a mim, eu me limito a chamar de lembrança a sensação de existir num mesmo lugar, com as mesmas pessoas, fazendo as mesmas coisas, que eram comer, excretar e dormir. Durante muito, muito tempo, os dias se sucederam sempre do mesmo jeito, depois eu comecei a pensar, e tudo mudou. Antes, não acontecia nada além daquela repetição de gestos idênticos, e o tempo me parecia parado, embora eu, confusa, percebesse que estava crescendo e que ele estava passando. Minha memória começa com minha raiva.

Obviamente não sei dizer quantos anos eu tinha. As outras já eram adultas havia bastante tempo quando acharam que eu ia entrar na puberdade. Não fui além dos primeiros sinais: surgiram pelos nas axilas e no púbis, meus seios incharam um pouquinho, depois tudo parou. Eu nunca fiquei menstruada. As mulheres me disseram que eu tinha sorte, que eu não ia me incomodar com o sangue e com os cuidados para não sujar os colchões, que eu estava escapando da tarefa entediante de lavar, todos os meses, os pedaços de trapos que elas tinham que segurar entre as coxas do melhor jeito que podiam, ou seja, contraindo os músculos, já que não tinham nada para amarrá-los, e que eu não ia precisar suportar as cólicas, tão frequentes nas mais jovens. Mas eu não acreditava nelas: se quase todas menstruavam, como era possível ser uma vantagem o fato de não ter algo que as outras tinham? Fiquei com a sensação de que estavam me enganando.

Naquela época, eu não me indagava muito sobre as coisas, e não me ocorreu me perguntar para que servia a menstruação. Talvez eu fosse calada por natureza, mas, de todo modo, a recepção aos meus raros questionamentos não me encorajava. Na maior parte das vezes, as mulheres suspiravam, desviavam o olhar e me diziam um "E para que serve saber isso?" que me dava a sensação de estar incomodando ou magoando. Eu não fazia a mínima ideia e não insistia. Foi só muito mais tarde que Théa me explicou o que era a menstruação. Ela me disse também que nenhuma das mulheres tinha muita instrução, que elas eram operárias, datilógrafas ou vendedoras, palavras essas que, na minha cabeça, nunca formaram um significado preciso, e que elas não eram muito mais informadas do que eu. Todavia, quando eu soube, me pareceu que tinha sido má vontade delas para me instruir. Fiquei ultrajada. Théa me disse que eu não estava totalmente enganada e tentou me explicar os motivos delas: talvez eu reconsidere isso mais adiante, mas, no momento em questão, estava furiosa, me sentia desprezada, como se eu tivesse sido incapaz de compreender as respostas às perguntas — poucas, no entanto — que fazia, e decidi que não ia mais me interessar pelas mulheres.

Eu estava o tempo inteiro mal-humorada, mas não sabia disso, pois não conhecia os termos que definem os estados de espírito. As mulheres iam e vinham, entregues às raras ocupações da vida cotidiana, e nunca me chamavam para participar. Eu me agachava e ficava olhando o que tinha para olhar. Pensando bem: quase nada. Elas ficavam sentadas, tagarelando, ou então, duas vezes por dia, preparavam a comida. Então, aos poucos, voltei minha atenção para os guardas que ficavam permanentemente circulando no entorno da jaula. Eles andavam sempre em três, a alguns passos de distância uns dos outros, nos observando, e o comum era fingirmos ignorar a presença deles, mas eu estava ficando curiosa. Notei que um deles era diferente: mais alto, mais magro e, compreendi algum tempo depois, mais jovem. Isso me interessou bastante. Em seus momentos de bom humor, as mulheres mencionavam os homens, o amor, elas davam umas risadinhas e zombavam de mim quando eu perguntava o que era engraçado. Fui juntando tudo o que eu sabia: os beijos, que se dão na boca, os abraços, as piscadas de olho e o pé por debaixo da mesa, que eu não entendia de jeito nenhum, então vinha o sétimo céu — juro!, mas como eu nunca tinha visto céu nenhum, nem o primeiro, nem os outros, não me detinha nisso —, e também as reclamações da brutalidade, isso dói, eles não se importam com as mulheres, engravidam elas e dão o fora, dizendo: "Como é que eu vou saber se é meu mesmo?". Algumas vezes elas declaravam que não tinham perdido nada, outras vezes caíam no choro. Quanto a mim, eu estava destinada a permanecer virgem. Um dia eu me enchi de coragem, para superar minha raiva, e fui perguntar para Dorothée, a menos carrancuda das duas velhas.

— Ah, minha pobre pequena!

Depois de alguns suspiros, ela não conseguiu fugir da resposta usual:

— E para que serve saber isso, já que não pode acontecer com você?

— Para saber — eu disse, furiosa, e assim descobri o significado da minha determinação.

Ela não entendia por que alguém ia querer saber algo que não teria nenhuma utilidade, e eu não consegui tirar nada dela. Era certo que eu ia morrer intocada, mas queria ao menos satisfazer minha curiosidade. Por que todas elas estavam determinadas a não falar nada? Eu tentava me consolar dizendo a mim mesma que o segredo delas não passava de um segredo de polichinelo, já que todas conheciam. Era para restaurar seu brilho que elas o sonegavam, para dar a ele o fulgor de um tesouro fascinante? Será que elas se calavam para criar uma menina que não sabia nada e que as consideraria as guardiãs de uma maravilha? Não estariam elas me mantendo na ignorância só para fingir que não eram absolutamente miseráveis? Às vezes elas alegavam que era por pudor, mas dava para perceber que, entre elas, não havia pudor algum, elas cochichavam, seguravam a risada, elas eram indecentes. Eu não faria amor, elas não fariam mais: talvez estivéssemos em pé de igualdade e elas estivessem tentando se consolar me privando daquilo que podiam me privar.

Com frequência, à noite, antes de pegar no sono, eu ficava pensando naquele guarda que era jovem. Eu me valia das poucas coisas que tinha conseguido captar: numa outra vida, ele teria vindo sentar do meu lado, teria me convidado para dançar, teria me dito seu nome, eu também teria um e teria dito a ele, nós teríamos conversado e, se tivéssemos gostado um do outro, teríamos saído para passear de mãos dadas. Talvez eu nem tivesse achado ele interessante: era o único dos nossos seis carcereiros que não era um velho decrépito, e eu provavelmente era indulgente por não ter conhecido nenhum outro rapaz. Eu tentava imaginar uma conversa nossa naqueles tempos que eu não conheci: "Amanhã o dia vai estar bonito?", "Você já viu os gatinhos recém-nascidos da vizinha?", "Fiquei sabendo que sua tia vai viajar"... Mas eu nunca tinha visto gatinhos e não fazia ideia do que poderia ser um dia bonito, o que limitava meu devaneio. Então eu pensava nos beijos, fantasiava com a maior precisão possível a boca do guarda, que era grande, com lábios bem definidos e finos — as bocas carnudas que eu via em algumas mulheres não me agradavam. Eu sonhava estar aproximando meus lábios dos dele: provavelmente fosse preciso saber mais, pois eu não estava sentindo nada de especial.

A não ser uma noite. Em vez de pegar no sono pelo tédio de tentar imaginar um beijo que nunca iria acontecer, lembrei de repente que as mulheres haviam falado sobre interrogatórios e sobre a surpresa delas por nunca ter havido nenhum. Eu ia inventando a partir do pouco que elas tinham falado: imaginava que vinham buscar uma mulher e a levavam gritando, apavorada. Às vezes ela não era mais vista, outras vezes era deixada entre nós pela manhã, coberta de queimaduras, machucada, gemendo, e nem sempre sobrevivia. Eu pensava: "Ah! Se houvesse interrogatórios! Ele viria me buscar, e eu sairia desta sala onde vivo desde sempre. Ele me conduziria por corredores desconhecidos e então alguma coisa iria acontecer!".

Minha cabeça estava incrivelmente rápida: o rapaz que me empurrava com um ar decidido parecia estar fazendo seu trabalho, mas, depois de uma curva, assim que saíamos do campo de visão, ele parava, se virava para mim, sorria e me dizia: "Não tenha medo". E então me pegava nos seus braços. Naquele instante, fui tomada por algo imenso, um arrebatamento tão grande que era maior do que eu, uma luz extraordinária explodiu no meu corpo e eu perdi o fôlego — que retomei num instante, pois foi desesperadamente breve.

Depois daquilo, minha essência mudou. Eu não precisava mais que as mulheres me contassem seus segredos, eu possuía um. O arrebatamento se revelou difícil de alcançar, eu fui obrigada a inventar histórias para mim mesma cada vez mais longas e complicadas e, para meu profundo desgosto, nunca consegui ficar arrebatada duas vezes seguidas, quando o que eu mais queria era que aquilo durasse horas: desejava ser tomada de maneira ininterrupta, ser delicadamente sacudida noite e dia, acariciada como a grama rara das planícies pelo vento leve que durava dias inteiros, coisa que eu só fui ver muito tempo depois.

Dali por diante, eu me dediquei inteiramente ao trabalho de produzir o arrebatamento. Era preciso inventar circunstâncias extraordinárias, em que nós estivéssemos sozinhos ou pelo menos isolados entre os outros, frente a frente, e que, depois de diversos tormentos, eu tivesse a divina surpresa de sentir os braços dele em volta de mim. Minha imaginação se desenvolveu. Tive que treiná-la com bastante disciplina, pois não podia recorrer duas vezes à mesma história: a surpresa era indispensável, como fui perceber depois de várias vezes tentando repetir o delicioso gesto que tinha me deixado nas nuvens sem ficar minimamente arrebatada. A dificuldade era muito grande, porque eu era, ao mesmo tempo, a criadora da história, a narradora e a ouvinte em quem era preciso causar o choque do inesperado. Hoje em dia fico espantada por ter conseguido superar tantos obstáculos! Com que velocidade minha cabeça devia correr para que eu não fosse avisada da ideia que estava surgindo, para que eu fosse pega de surpresa! Da primeira vez, quando tive a ideia do interrogatório, eu nunca tinha me contado uma história antes, nem sabia que dava para fazer algo assim, e fiquei completamente envolvida, maravilhada tanto por aquela nova atividade quanto pela própria história. Depois, logo me tornei uma adepta, uma espécie de engenheira de histórias: eu era capaz de detectar se ela começava mal, se se encaminhava para um beco sem saída, e até mesmo de retomar os acontecimentos para definir os rumos de forma mais adequada. Eu chegava a construir personagens que voltavam com regularidade, que se modificavam de aparição em aparição e que se tornavam bastante familiares para mim. Eu tinha muito orgulho deles, e foi só nesses últimos tempos, lendo livros, que percebi o quanto eles eram superficiais.

    Eu precisava criar histórias cada vez mais complicadas: acho que algo em mim sabia o que eu esperava delas e oferecia resistência, então eu tinha que me pegar desprevenida. Algumas vezes fui obrigada a narrar por várias horas para desorientar meu público interior, que assim esquecia de desconfiar, se deixava capturar pelo prazer de ouvir, se divertia e baixava a guarda. Então chegava o momento mágico, o olhar do rapaz, a mão dele no meu ombro e o transporte de todo o meu ser. Depois, eu estava pronta para dormir. Talvez, ao terminar a história, eu decepcionasse uma ouvinte interior que preferia a narração ao arrebatamento, por isso, ela sempre queria contê-lo, e teria até me privado dele para prolongar seu próprio prazer. Às vezes, no meio da história, eu tentava argumentar com ela: Estou cansada, quero dormir, me dê esse arrebatamento de uma vez, eu vou continuar amanhã. Mas nada disso funcionava, ela não se deixava enganar.

As mulheres notaram que eu tinha mudado. Elas me observaram por um momento, me viram o tempo todo sentada, os joelhos dobrados, o queixo apoiado nos braços cruzados e, imagino, o olhar perdido no vazio. Eu não percebi, pois já não dava a mínima bola para elas, e fiquei surpresa quando Annabelle veio me perguntar:

— O que você está fazendo?

— Pensando — eu disse.

Isso a deixou perplexa. Ela continuou ali mais um pouco, esperando que eu dissesse alguma outra coisa, então levou minha resposta para as outras. Elas conversaram um pouco, e Annabelle voltou.

— Em quê?

Toda a minha raiva ressurgiu.

— Quando eu perguntava o que acontece quando as pessoas fazem amor, vocês nunca me respondiam, e agora eu tenho que contar o que se passa na minha cabeça? Guardem seus segredos, se vocês se divertem com isso, mas não esperem que eu vá contar os meus!

Ela franziu as sobrancelhas e se juntou às outras. Dessa vez, a discussão continuou. Eu nunca tinha visto elas conversarem a sério por tanto tempo, geralmente, depois de dez minutos, elas começavam a rir. Aparentemente eu havia despertado algo novo nas suas mentes. Foi uma outra que se levantou e veio até mim, a mais velha e mais respeitada, Dorothée, que nem mesmo eu odiava. Ela sentou e ficou olhando para mim. Aquilo era muito incômodo, pois ela estava interrompendo um momento bastante promissor da história, que já durava um bom tempo: iam me prender sozinha numa cela, e como tinha escutado falarem algo sobre a troca de turno, eu podia esperar que o carcereiro da noite seria o rapaz. Como continuar diante daquela velha que ficava me olhando sem dizer nada? O máximo que eu podia tentar era não perder de vista a situação: eu estava sozinha, ofegante, assustada, ouvia vozes e um tilintar de armas no corredor, não sabia o que estava acontecendo, estava com medo, numa atmosfera de urgência e agitação. Tentei manter a cena em suspenso na minha cabeça enquanto observava Dorothée, que também me observava, dizendo a mim mesma que, se o arrebatamento não acontecesse logo, eu seria obrigada a inventar um sentido para aquela situação, e que diabo de coisa poderia provocar algo inesperado capaz de alcançar o universo imóvel onde nós vivíamos, mulheres confinadas há tantos anos que tinham perdido a noção de tempo?

— Parece que você tem segredos — disse, finalmente, Dorothée.

Não respondi, já que não era de fato uma pergunta. Percebi que ela estava tentando me perturbar com seu olhar firme e seu silêncio. Provavelmente antes, quando eu ainda não tinha descoberto o mundo interior onde eu me distraía, quando ainda era curiosa e dócil, eu teria ficado intimidada, teria pensado no erro que podia ter cometido para merecer aquele escrutínio e estaria temendo uma punição. Mas agora eu sabia que estava fora do alcance delas: as punições nunca eram nada além do afastamento, da exclusão das conversas fúteis e levianas sobre absolutamente nada, e era exatamente isso que eu queria para continuar minha busca secreta em paz.

Como eu não estava reagindo, ela franziu as sobrancelhas.

— Falei com você. Seria educado me responder.

— Não tenho nada a responder. Disseram para a senhora que eu tinha segredos. A senhora me diz que lhe disseram. Muito bem. E então?

— Quero saber que segredos são esses.

Comecei a rir e fui a primeira a ficar surpresa com isso. Eu tinha sido acostumada a respeitar a vontade das mulheres, principalmente das mais idosas, que eram consideradas autoridades, mas tudo tinha mudado, pois eu já não via em que se baseava essa autoridade. De repente eu estava descobrindo que elas não tinham poder nenhum. Todas nós tínhamos sido confinadas do mesmo jeito, sem saber por quê, vigiadas por carcereiros que, por desprezo ou por obediência, não dirigiam a palavra a nenhuma de nós. Eles nunca entravam na jaula. Eles andavam em três, exceto no momento da troca de turno, quando víamos seis ao mesmo tempo, e não conversavam entre si. Na hora das refeições, uma das folhas da porta principal era aberta, um homem empurrava um carrinho pelo espaço que havia entre a jaula e a parede, e um outro destrancava uma pequena abertura na grade, por onde fazia passar os mantimentos. Eles não respondiam nenhuma pergunta e já fazia bastante tempo que nós não perguntávamos mais. As mulheres mais velhas eram tão impotentes quanto as mais jovens. Elas tinham se adonado de sabe-se lá qual poder imaginário, um poder sobre nada, um acordo tácito que criava uma hierarquia sem significado, pois não havia nenhum privilégio que elas pudessem conceder ou impedir. Nós estávamos, na verdade, em absoluto pé de igualdade.

Eu tinha ficado parada por alguns segundos, tomando conhecimento dessas evidências familiares que de repente se transformavam em revelações espantosas, olhando fixamente para Dorothée. Lembrei do que ela tinha dito.

— A senhora quer saber os meus segredos. Mas tudo o que a senhora pode fazer a esse respeito é me comunicar a sua vontade.

Observei com interesse seu jeito de receber minhas palavras: primeiro, quando viu que eu estava começando a responder, ela pareceu satisfeita, deve ter acreditado que estava conquistando minha obediência. Então ela me escutou, o sentido das minhas palavras foi se formando, mas era tão surpreendente que ela achou que não tinha entendido.

— O que você está querendo dizer?

— Pense bem — eu disse a ela. — Estou querendo dizer exatamente o que eu disse.

— Você não disse nada!

— Eu disse que não vou dizer nada sobre os segredos. A senhora disse que queria saber, a senhora não me ensina nada, eu já sabia disso. A senhora acha que tudo o que precisa fazer é me dizer que quer conhecê-los para que eu conte.

Era essa a posição dela.

— É assim que as coisas devem ser — afirmou.

— Por quê?

Ela ficou desconcertada. Reparei que ela não estava refletindo sobre a minha pergunta, de tão surpresa que estava com a possibilidade de ter sido feita. Ela era a herdeira de uma tradição da qual eu não tinha feito parte: quando a mais velha pede uma resposta à mais nova, a mais nova responde. Ela nunca tinha posto isso em causa, mas eu, crescida no porão, já não tinha motivos para me submeter. Depois de um tempo:

— Como assim, por quê?

— Por que eu deveria responder? Por que a senhora acha que isso é tão óbvio?

O olhar dela vacilou. Ela estava tentando refletir, mas não estava acostumada. Pareceu aturdida e se agarrou à primeira ideia que apareceu:

— Você é insolente — ela disse, aliviada, como se tivesse encontrado um sentido nas palavras incompreensíveis que eu pronunciara, certa de que bastava voltar aos modos usuais, às convenções, aos lugares-comuns.

— A senhora é uma tola — respondi, embriagada pelas minhas novas certezas — e esta conversa é um absurdo. A senhora pensa que tem poder, mas é igual a todas nós, limitada a receber uma porção de comida das mãos inimigas, e não tem condições de me punir se eu me rebelar contra vocês. Eles proíbem qualquer autoridade que não a deles, a senhora não poderia nem me bater, nem me impedir. Por que eu deveria obedecer a senhora?

Dessa vez, era óbvio que ela não estava entendendo uma palavra sequer. Acho que ela teria preferido ficar surda. Ela resmungou, se remexeu um pouco, depois fez um gesto para duas mulheres mais jovens, que vieram ajudá-la a se levantar, algo que ela não precisava realmente, e voltou ao seu lugar habitual, do outro lado da jaula. Olharam atentamente para ela, sem ousar questioná-la. Ela fechou os olhos para fazer de conta que estava refletindo e pegou no sono.

— É porque ela é velha — disseram as mais novas.
— Provações como esta não convêm a uma mulher da idade dela.

Elas retomaram o papo, e eu, a minha história. Reencontrei a cela escura onde eu havia sido isolada. Eu não estava ferida, os vigias agiam sempre com precisão para dominar sem agredir. Eu estava encolhida num canto, assustada, e minha postura humilhante me chocou: agachada, tremendo, isso era lá condizente com alguém que tinha acabado de enfrentar uma das mulheres mais respeitadas da jaula, olhando nos olhos e dizendo que ela era tola? Ela não tinha conseguido responder. Senti um arrepio delicioso, e foi, acho eu, meu primeiro prazer intelectual. Era preciso que, na cela imaginária, eu me reerguesse, e rápido, que eu sorrisse, que eu os enfrentasse. Estava difícil me concentrar na história, a briguinha que eu acabara de travar tinha me agradado, e eu queria ficar pensando nela, mas isso não me levaria ao arrebatamento, visto que o guarda jovem não estava lá, e eu tive que recorrer à minha disciplina interior para voltar ao meu universo pessoal.

Se as mulheres tivessem sido prudentes, teriam parado por aí. Ainda dava para fingir que não tinha acontecido nada e evitar uma batalha desigual. Eu compreendera que era tão forte quanto elas e que não revelar um segredo que está ao alcance de todos, desde que não haja tortura, imediatamente faz com que ele pareça infinitamente precioso. Os conhecimentos delas sobre o amor me pareceram a coisa mais desejável que podia existir quando elas me privavam dele. De agora em diante, eu zombava da mesquinhez delas, eu dizia a mim mesma que, em outros tempos, teria conseguido o que quisesse do primeiro rapaz que aparecesse e que, ao questionar as mulheres, eu estava concedendo um privilégio que elas nunca tiveram e que minha falta de conhecimento indevidamente atribuía a elas. Mas agora que a curiosidade delas tinha sido despertada, era a vez delas conhecerem a exclusão e o despeito. Eu tinha encontrado o arrebatamento para me consolar: elas continuaram agitadas, impotentes, tendo como único alimento sua irritação para roer. Elas começaram a me vigiar.

Mas: vigiar? Nós éramos quarenta vivendo naquela grande sala subterrânea, onde não se podia esconder uma das outras. De cinco em cinco metros, colunas sustentavam a abóbada e uma grade separava a parte onde ficávamos das paredes, preservando, nos quatro lados, uma ampla passagem para as incessantes idas e vindas dos guardas. Ninguém jamais saía de vista e nós estávamos acostumadas a satisfazer nossas necessidades naturais umas na frente das outras. No início — isso me disseram, minhas lembranças não iam tão longe — as mulheres ficavam extremamente incomodadas, cogitaram formar uma muralha para isolar aquela que estivesse excretando, mas os guardas proibiram, nenhuma deveria ficar fora da vista. Para mim era natural, quando eu ia urinar, sentar no vaso sanitário e continuar a conversa que estava tendo, nas raras vezes em que eu conversava. As velhas resmungavam furiosas, falavam de indignidade e de estarem rebaixadas à categoria dos animais. Se tudo o que nos diferencia dos animais é nos escondermos para defecar, a condição humana me parece depender de muito pouco, eu pensava. Eu nunca discutia com as mulheres, na verdade eu já achava elas sonsas, mas não me dava ao trabalho de dizer isso a mim mesma com tanta clareza.

Pensando nisso hoje, que idiotinha horrível eu era! Eu me enchia de orgulho por ter inventado uma brincadeira que me parecia extraordinária e me sentia diante de um bando que me perseguia, enquanto éramos todas nós prisioneiras igualmente indefesas. Talvez, isolada pela minha idade e pelas restrições que nos eram impostas, eu, assim como as outras, precisasse criar uma ilusão para lidar com a aflição. Não faço ideia. Agora que não saio mais para caminhar, eu reflito bastante, mas sem diálogo me parece que meu raciocínio logo começa a andar em círculos. Por isso, é interessante escrever meus pensamentos: quando eles aparecem pela segunda vez, eu os reconheço e não os repito.

Quando Dorothée acordou e encontrou forças para relatar nossa conversa, ela não revelou que eu tinha dito que ela era tola, mas, por mais que cuidasse para não manchar seu prestígio, ela não sabia nada do meu segredo e não tinha como esconder isso.

— Um segredo! Um segredo! Com que direito ela guarda um segredo na situação em que a gente se encontra?

Théa, que era a mais inteligente, compreendeu de imediato que não era o conteúdo do segredo o mais importante, mas a possibilidade de reivindicar, e ser levada a sério, a existência de um segredo enquanto se vivia incessantemente sob os olhares umas das outras. Parecia algo complicado demais para as mulheres, que ignoraram Théa com um gesto irritado e exigiram que o segredo fosse arrancado de mim.

— Temos que forçá-la. Obrigá-la.

— E como você pretende fazer isso?

Colette, a mais tola e a mais animada, veio e se plantou na minha frente, ordenando, num tom ameaçador, que eu falasse.

— Senão, cuidado!

— Senão o quê? — eu disse, deixando escapar uma risada.

Ela fez um gesto violento, dava para ver que estava cogitando uma bofetada. Dava para vê-la tão bem que os guardas, que nunca tiravam os olhos de nós, a viram ao mesmo tempo que eu, e ouviu-se o estalo do chicote. Nós sabíamos que não estavam direcionando os golpes para nós e que os chicotes estalavam apenas no vazio da galeria que nos cercava, mas aquele barulho sempre nos assustava, e Colette deu um pulo. Nenhuma das mulheres tinha a lembrança precisa de ter sido agredida, mas, Théa me contou depois, isso deve ter acontecido durante o período obscuro, no início do confinamento, para que um temor tão profundo se tivesse inscrito em nós. Ninguém jamais desobedecia ao chicote e as mulheres às vezes descreviam as marcas de sangue que as tiras deixavam na pele nua, a dor lancinante que durava dias. O fato é que várias tinham grandes cicatrizes brancas. Colette, assustada, deu um passo para trás, eu sorri asperamente para ela. Fiquei dividida entre o desejo de provocá-la em silêncio, fazendo dos vigias meus aliados, e o de explicar a ela sua tolice e sua impotência, quando Théa interveio. Ela se aproximou de Colette, que tremia de raiva e medo, gesticulando para que se afastasse.

— Vem cá. Não vale a pena — ela disse, com uma voz muito suave.

Colette teve um tremor por todo o corpo, pensei que fosse se jogar nos braços de Théa, mas nós sabíamos muito bem que éramos proibidas de nos tocar, e ela baixou a cabeça.

— Vem cá — repetiu Théa.

Elas se afastaram, lado a lado. Eu me reacomodei, a cabeça apoiada nos joelhos, contente por enfim terem me deixado em paz, e me dei conta de que não ia conseguir voltar para a história. Tudo aquilo tinha me deixado nervosa, eu não queria mais continuar sentada, não conseguia me concentrar. Levantei, me juntei às mulheres que estavam preparando os legumes para cozinhar e me ofereci para ajudar. Mas eu era desajeitada e isso deixava elas irritadas.

— Ah! Vai brincar! — disse uma delas.

— Com quem?

Eu era a mais nova, a única que ainda era criança quando nos confinaram. As mulheres sempre pensaram que eu só podia estar entre elas por engano, que, no grande tumulto que reinara, eu tinha sido mandada para o lado errado e aquilo não tinha sido corrigido. Depois de fechadas as grades, elas provavelmente nunca deveriam ser reabertas. Aliás, às vezes elas diziam que as chaves deviam ter sido perdidas e que, mesmo se quisessem, não teriam como nos libertar. Acho que era gozação, mas só fui me lembrar disso agora, e é tarde demais para descobrir.

Aline, a mulher que me repreendera, pareceu envergonhada. Ela me olhou com tristeza, talvez tivesse pena de mim e desaprovasse a determinação daquelas que queriam arrancar de mim o meu segredo.

— É verdade, pequena. Pobrezinha. Você está sozinha.

Ela parecia emocionada, o que acalmou um pouco minha raiva. As mulheres nem sempre eram legais comigo. Imagino que, naquela época, elas implicassem comigo por estar ali e por estar viva, enquanto elas não sabiam o que tinha acontecido com suas filhas. Provavelmente a terrível catástrofe em que estávamos metidas podia explicar a atitude delas: ninguém nunca se importava comigo, nunca fazia um simples gesto para me tranquilizar. Mas e se isso não fosse possível? Minha própria mãe não estava conosco, nós não sabíamos nada do que tinha acontecido com as outras, achávamos que estavam todas mortas. Esmiucei minhas lembranças nesses últimos tempos e tive a impressão de vê-las se balançando e gemendo, elas choravam, nenhuma delas olhava para mim, que tremia de terror e as odiava. Isso me pareceu injusto e então percebi que, sozinha e assustada, a fúria era meu único recurso contra o horror.

Saí de perto de Aline e fui me sentar, abraçando meus joelhos dobrados, mas não consegui recuperar meu devaneio. Estava entediada. Na falta de qualquer outra distração, me pus a observá-las. Naquele dia, tínhamos recebido alho-poró e carne de cordeiro cortada de modo grosseiro. Enquanto limpavam os legumes, elas conversavam animadas sobre a maneira como iriam prepará-los. Eu nunca dava muita atenção ao que comia, o que, ao meu ver, não era nem bom nem ruim, a não ser que ainda tivesse fome quando meu prato ficava vazio, o que era raro, pois eu tinha pouco apetite, mas, ao vê-las falando, fiquei totalmente pasma: ouvindo elas, alguém seria capaz de imaginar que podiam escolher entre diversas receitas, temperos variados, enquanto só dispunham de três panelas grandes e de água, e nunca poderiam fazer nada além de pôr os legumes para ferver. Nós os comeríamos no almoço e a água do cozimento serviria como sopa à noite. Às vezes vinha um suplemento de comida durante a tarde, alguns quilos de massa, muito raramente batatas, nada que pudesse servir para algo muito elaborado. Aquela era provavelmente a maneira delas de contar histórias, elas faziam o que podiam. Elas diziam — e eu já tinha escutado aquilo centenas de vezes, mas sem prestar atenção — que o sabor de um caldo não é o mesmo se você colocar primeiro a carne ou os legumes, que também se podia cozinhar os ingredientes separados, cortar o alho-poró em tirinhas ou em pedaços grandes, deixar o cozimento reduzir para dar um sabor mais vivo. Elas ficavam agitadas enquanto tagarelavam. Era a primeira vez que eu as escutava com atenção e fiquei surpresa com a abundância da fala delas, a paixão com que repetiam dez vezes a mesma coisa de outro jeito para não perceberem que não tinham, no fim das contas, absolutamente nada a dizer umas às outras há séculos, mas um ser humano precisa falar, senão ele perde sua humanidade, eu entendi isso nos últimos anos. E aos poucos fui ficando com pena delas, daquelas mulheres determinadas a viver, a fingir que agiam, que tomavam decisões na prisão onde estavam confinadas em definitivo, da qual só sairiam ao morrer — será que recolheriam os cadáveres? — e onde não podiam sequer se matar.

    De repente, me peguei refletindo sobre nossa situação. Até então, eu tinha suportado sem pensar nela, como se fosse um estado natural. Será que nos perguntamos por que temos sono à noite e fome ao acordar? Eu sabia, como as outras, que, entre as coisas proibidas, estava o suicídio. No início, algumas, mais desesperadas ou mais ativas, tentaram a faca ou a corda, e isso tinha deixado claro até que ponto os guardas nos vigiavam de perto, pois o chicote tinha imediatamente estalado nos seus ouvidos. Eles eram muito bons de mira, acertavam o alvo de longe, cortando os cintos com que elas pretendiam fazer cordas, arrancando a faca mal afiada das mãos que a seguravam. Eles zelavam para nos manter vivas, o que fez as mulheres acreditarem que pretendiam usá-las de algum jeito, que havia planos. Elas imaginaram todos os tipos de coisas, não aconteceu nada. Éramos alimentadas sem excessos e, graças a isso, as que eram gordas demais emagreceram, mas nada nos faltava de verdade. Preparávamos as refeições nas panelas grandes e, assim que terminávamos de descascar os legumes, tínhamos que devolver as duas facas, que cortavam sempre muito mal. De vez em quando recebíamos alguns metros de tecido, o que nos permitia fazer roupas de corte rudimentar, já que não tínhamos tesouras e precisávamos rasgá-los com muito cuidado. Escrevi há pouco que não havia acontecimentos, mas isso não é bem verdade: a chegada dos pedaços de pano gerava uma grande excitação. Sabíamos qual vestido estava usado a ponto de não ter conserto, qual outro ainda poderia ser salvo, e elas começavam a fazer grandes cálculos, com o objetivo de aproveitar ao máximo o algodão novo. Era preciso levar em conta a quantidade de linha que vinha junto, aconteceu de sobrarem pedaços de tecido e não termos mais nada para uni-los. Um dia, Dorothée teve a ideia de costurar com cabelos. Ela lembrava que, num passado muito distante, eles haviam sido usados para bordar. Anna e Laurette tinham os cabelos mais compridos, que foram utilizados nos primeiros testes.

Não funcionou, pois o cabelo arrebentava, então alguém teve a ideia de trançar vários fios, e chegamos a um certo resultado: as costuras não duravam muito, mas sempre tinha com que refazê-las. Os guardas não nos davam nem absorventes, nem papel higiênico, coisa de que as mulheres reclamavam bastante. Eu, que não me lembrava de ter usado alguma vez, me virava muito bem com a água corrente, que nunca faltava, e, graças à minha amenorreia, não tinha que me preocupar com o sangue. As mulheres recolhiam qualquer pedacinho de tecido e usavam para a menstruação, depois lavavam por bastante tempo na água limpa, pois recebíamos muito pouco sabão, preto e líquido, que era reservado para a limpeza do corpo.

A ausência quase completa de atividade física nos teria privado de todas as forças, e nós nos obrigávamos a fazer um pouco de ginástica todos os dias, o que era a coisa mais terrivelmente chata do mundo, mas até eu me submetia àquilo, porque compreendia que era necessário. Aconteceu, uma ou duas vezes, de uma mulher adoecer: um termômetro era incluído nas provisões, o chicote deixava claro que ela precisava medir a temperatura, e vinham remédios caso ela tivesse febre. Parece que nossa saúde era particularmente boa. Mas, com a alimentação, a iluminação e o aquecimento constante, nós devíamos custar caro a alguém ou a algo, e não sabíamos por que se davam todo aquele trabalho. Na vida de antes, as mulheres trabalhavam, tinham filhos, faziam amor, e tudo o que sei sobre isso é que era algo bastante valorizado. Para que é que nós servíamos aqui?

Fiquei espantada com meus pensamentos. De repente, o segredo que me era negado e o que eu não queria contar me pareceram de pouco valor ao lado daquele que os vigias detinham: o que nós estávamos fazendo aqui, por que nos mantinham vivas?

Fui ter com Théa, que fora sempre a menos grosseira comigo. Ela sorriu para mim.

— E então? Veio me contar o segredo?

Levantei os ombros, irritada.

— Não seja tão sonsa quanto as outras. Olhe para elas. Elas fingem, se comportam como se ainda estivessem no controle de alguma coisa nas suas vidas e tomam grandes decisões sobre a ordem de cozimento dos legumes. O que é que estamos fazendo aqui?

Théa fez uma cara desconfiada.

— O que você está querendo dizer?

— Não dá para falar disso também? Vocês passam todo o tempo querendo acreditar que sabem alguma coisa e se aproveitam de mim, que não sei nenhuma, para se convencerem que são superiores! Ninguém tem ideia dos motivos para nos manterem aqui com tanto cuidado e vocês têm medo de pensar nisso.

— Não fale de nós sempre no plural.

— Então seja singular! Responda com a própria cabeça. Se você tiver uma.

Não podemos bater umas nas outras, mas, se falamos com calma, sem que as expressões nos rostos denunciem a violência, podemos trocar palavras cortantes.

— E para que serve falar disso? Não vai mudar nada.

— Olha aí de novo a burrice de vocês! Como se falar só pudesse servir para produzir acontecimentos. Falar é existir. Preste atenção: elas sabem disso tão bem que ficam falando por horas para não dizer nada.

— Mas será que falar vai nos ensinar alguma coisa sobre o que nós estamos fazendo aqui? Você não sabe mais do que eu ou qualquer uma de nós.

— Não, mas eu vou saber o que você acha, você vai saber o que eu acho, de repente isso nos dá alguma ideia nova, e aí nós vamos sentir que estamos nos comportando como seres humanos, e não como autômatos repetitivos.

Ela largou o pedaço de tecido que estava costurando com os cabelos trançados e cruzou as mãos sobre os joelhos.

— Quando você está sentada, sozinha e de olhos fechados, é isso que você faz, fica refletindo sobre nós?

— Eu faço o que eu gosto, não fique tentando arrancar confidências de mim, eu não sou uma menina distraída que é pega de surpresa.

Ela riu.

— Você teria sido muito brilhante! Você teria tido um destino maravilhoso!

— Nós não temos mais destino. Tudo o que nós podemos fazer é nos divertir conversando.

— Você debocha da discussão sobre os legumes, mas o que você está propondo é a mesma repetição inútil.

Comecei a rir. Era muito bom ter uma interlocutora tão inteligente quanto eu.

— Estou gostando desse assunto. Nós sabemos por que eles nos confinaram?

— Não.

— E cadê as outras pessoas?

— Isso se elas ainda existirem, não sabemos. Como nós estamos aqui e eles nos mantêm vivas, achamos que deve haver outras pessoas vivendo em algum lugar, mas não há nada que prove e, se for assim mesmo, ninguém faz ideia do sentido que isso pode ter. Não temos o menor indício. Eles reuniram os adultos, com certeza você está aqui por engano. No início — bom, não exatamente no início, porque tem um período que ninguém lembra claramente —, mas depois, a partir do momento em que as coisas se organizaram nas nossas memórias, sei que ficávamos pensando nisso o tempo todo. Eles poderiam ter matado você, mas eles não matam, ou ter tirado você daqui, mandado para um outro lugar, se tiver outras prisões parecidas com esta, mas aí a sua chegada lá teria sido uma informação, e a única coisa que temos certeza é que eles querem que a gente não saiba de nada. Nós chegamos à conclusão de que eles deixaram você aqui porque qualquer decisão pode ser interpretada, e que a falta de decisão deles indica a única coisa que eles querem que a gente saiba, que é que nós não devemos saber nada.

Nunca alguma das mulheres tinha conversado comigo por tanto tempo. Eu sentia que ela estava me entregando tudo o que tinha, tive uma leve vertigem que não era desagradável. Era algo que lembrava vagamente o arrebatamento, e prometi para mim mesma que eu ia ver o que poderia fazer com aquilo nas minhas histórias.

— E mais nada?
— Nada.

Ela suspirou, pegou a costura de volta, inspecionou mecanicamente.

— E nunca vamos saber mais do que isso. Nós vamos morrer uma depois da outra, conforme a idade for nos levando embora. Dorothée com certeza vai ser a primeira, o coração dela não é bom. Ela parece já ter mais de setenta anos. Eu ainda não devo ter chegado aos quarenta: sem as estações, não temos como contar a passagem do tempo. Você vai ser a última.

Ela olhou demoradamente para mim sem dizer nada. Como eu vinha exercitando bastante a imaginação, conseguia adivinhar os pensamentos dela: um dia, eu estaria sozinha na grande sala cinza. De manhã, um guarda me passaria a comida, que eu colocaria para cozinhar na chapa de aquecimento, eu comeria, dormiria e morreria sozinha, sem ter compreendido nosso destino nem por que ele nos fora infligido. Fiquei paralisada de terror.

— A gente não tem como fazer nada?

— Não há uma entre nós que não tenha pensado em se matar, mas eles são rápidos demais. Não dá para tentar se enforcar: nem teríamos acabado de amarrar na grade um pedaço de tecido enrolado e eles já estariam lá. Marie, que está sentada ali, conversando com Dorothée, tentou passar fome até morrer: eles ficaram na cola dela com o chicote e a atormentaram até ela desistir. Você conhece as facas que eles nos dão: não cortam nada, a gente mal consegue raspar as cenouras, e eles nos proíbem de tentar afiá-las. Uma vez, há bastante tempo, Alice, uma das mulheres mais desesperadas, convenceu uma outra a estrangulá-la. Isso aconteceu à noite, quando eles diminuem as luzes. Nós achávamos que os guardas caminhavam mecanicamente, confiando na nossa imobilidade: mas eles continuam a nos vigiar de um jeito tão atento, tão constante, que entenderam tudo, e os chicotes estalaram.

— Eles nunca encostam na gente.

— Antigamente aconteceu, houve ferimentos, que cicatrizavam muito devagar. Não sabemos por que eles pararam. Não adianta se rebelar. Só nos resta esperar pela morte.

Ela voltou para sua costura. Estava juntando as partes menos gastas de um vestido para fazer sabe-se lá o que com elas. Quando penso nisso, digo a mim mesma que aqueles pedaços de tecido eram praticamente uma generosidade: fazia calor no porão e nós poderíamos viver sem roupas. Ainda consigo enxergar as duas latrinas, bem no meio da sala, onde, como nós éramos quarenta, quase sempre tinha uma mulher sentada fazendo suas necessidades, e acho difícil acreditar que eles quisessem atenuar nosso pudor ao permitir que nos cobríssemos. Ao observar Théa, me veio à mente que, já que eu ia ser a última, um dia precisaria aprender a costurar. A menos que, à medida que as mulheres fossem morrendo, eles me deixassem as roupas delas e eu, a herdeira dos trapos, tivesse com que me vestir até o fim.

Eu estava triste. Sempre odiara minhas companheiras de prisão por causa da sua indiferença a meu respeito e nunca tinha me preocupado com elas. Quando chegamos aqui, elas estavam dominadas pelo desespero, pelo medo, e eu tinha ficado isolada, uma garotinha apavorada entre mulheres que choravam. Ao morrer, elas me deixariam sozinha de novo. A raiva cresceu dentro de mim. Então elas tinham refletido sobre nossa situação, se interrogado por bastante tempo e me deixado sempre de fora dos seus questionamentos. Théa era a primeira que se dava ao trabalho de falar comigo. Aquela conversa tinha me interessado, eu me dispusera a ouvi-la, a pensar, como se durante vários anos ela não houvesse me ignorado tanto quanto as outras mulheres.

— E por que hoje você está falando comigo?

Ela pareceu surpresa.

— Mas foi você que veio falar comigo — ela disse. — Você fica o tempo todo sozinha, como se não quisesse se misturar com a gente.

Eu ia dizer que elas sempre ficavam em silêncio quando eu me aproximava, mas de repente me senti terrivelmente cansada. Talvez eu não estivesse acostumada a conversar por tanto tempo. Ela me viu bocejar.

— Daqui a pouco eles vão diminuir as luzes. Vamos nos preparar pra dormir. Continuamos a conversa amanhã.

Obviamente não consegui dormir. Queria retomar a história que tinha sido interrompida por Annabelle no momento em que eu estava numa cela, o jovem guarda ia aparecer em breve, mas eu não conseguia me concentrar. Normalmente, quando eu imaginava uma história, me tornava insensível ao que se passava fora, mas, naquela noite, as idas e vindas das mulheres arrumando os colchões, seus cochichos, a chegada gradual do silêncio, tudo me atrapalhava. Eu pensava nos anos, no sofrimento, naqueles maridos perdidos, nos filhos que elas nunca mais tinham visto, na minha mãe, já que eu, necessariamente, tivera uma mãe. Eu não lembrava dela, só sabia que devia ter havido alguém que eu chamava de mamãe e que não estava na prisão. Será que ela estava morta? Eu ia juntando o pouco que eu tinha escutado sobre a catástrofe, o que se resumia a poucas palavras: os gritos, a correria, a noite e um pavor crescente. As mulheres julgavam ter desmaiado, talvez diversas vezes, e tudo tinha acontecido muito rápido, mas, ao pensar sobre isso, fiquei achando que essa explicação não bastava. Nós éramos quarenta e não tínhamos nenhum vínculo, enquanto cada uma, antes, tinha família, pais, irmãos, irmãs, amigos: somente uma seleção meticulosa poderia ter agrupado completas desconhecidas. Foi o que Théa confirmou no dia seguinte:

— Para você ver o trabalho que isso representa: eles organizaram tudo para que nenhuma de nós conhecesse as outras. Eles nos pegaram nos quatro cantos do país, e até em vários países, inclusive checando se o acaso não iria reunir duas primas ou duas amigas separadas pelas circunstâncias.

— Por quê? O que eles querem com isso?

— Nós quase enlouquecemos de tanto nos perguntar. Você era muito pequena, não tinha capacidade de entender nada e, além disso, você ficava encolhida no chão, não respondia quando falávamos com você.

— Não me lembro disso.

— Achamos que você não ia melhorar. Como éramos proibidas de nos tocar, ninguém podia pegar você no colo, tentar te tranquilizar, nem mesmo te dar de comer à força. Pensamos que você fosse morrer, mas, muito devagarinho, você voltou a se mexer. Você se aproximou da comida na hora das refeições, aceitou algumas garfadas. Então, é claro, fomos nos acostumando a nunca trazer à tona nossas parcas lembranças na sua frente, nós achávamos que isso iria te machucar. E aos poucos cansamos de falar sobre isso entre nós. Não ajudava em nada. As mesmas perguntas, feitas do mesmo jeito durante anos, se desgastam por conta própria.

— E vocês vivem assim, com seus legumes, sem perspectivas?

— Sim, a morte — ela respondeu secamente. — Nós não podemos nos suicidar, mas ainda assim vamos morrer. Basta esperar.

Eu nunca tinha pensado com tanta clareza sobre nossa situação. Nas minhas histórias, sempre havia acontecimentos: na minha vida, não haveria nunca. Compreendi que ela tinha razão e que os segredos do amor não me diziam respeito. Talvez elas tivessem brincado de saber algo a mais do que eu porque, quanto ao essencial, não sabiam de nada. Eu suspeitava que os homens não eram conformados como as mulheres: mas e daí, se eu nunca me aproximaria de um homem? Que importância tinha essa diferença? São as meninas de uma outra história que precisam se preparar para o casamento, pensei comigo.

Aquele dia me pareceu muito curto, o que eu atribuí à intensidade da minha reflexão. Quando a luz diminuía, precisávamos estender os quarenta colchões para nos deitar. Havia pouquíssimo espaço, eles ficavam quase lado a lado, e todas as manhãs nós os colocávamos em pilhas de três ou quatro para que pudéssemos circular e nos sentar. Deitei e tentei retomar a história, mas eu não conseguia, minha cabeça estava vazia e eu sentia uma espécie de dor forte no peito.

— Feche os olhos — disse minha vizinha. — Não mostre que não está dormindo.

— Por quê?

Era Francine, uma das mulheres mais jovens, uma das que nunca tinham zombado de mim.

— Por acaso você não observa nada? Você vive entre nós como se tivesse caído da lua. Eles não permitem que a gente não durma. Quando não estamos de olhos fechados, eles nos chamam na grade e nos dão uns comprimidos para tomar.

— Chamar? Mas eles nunca falam com a gente!

— Claro que falam! Com os chicotes!

Entendi o que ela estava querendo dizer. Acontecia muito raramente de uma mulher desobedecer: e então o chicote estalava ao lado dela, até que ela fizesse o que era ordenado. Eles eram incansáveis e extremamente habilidosos, conseguiam fazê-lo estalar vinte vezes seguidas ao lado de uma orelha e, se aquela que era visada resistisse, sempre havia uma outra que acabava cedendo. Quando Alice, que eles haviam forçado a comer, quis se asfixiar com o vestido enrolado, os nervos de Clotilde não aguentaram e ela correu para desfazer o nó e deter a terrível ameaça de morte, sempre prometida, nunca dada. Fechei os olhos.

— O que é que está te impedindo de dormir? — perguntou Francine.

— Como é que você consegue dormir?

Ela não disse nada. Eu sentia os soluços apertando minha garganta.

— E a gente pode chorar? Sem comprimidos?

— Não. É melhor você se controlar.

Então uma coisa estranha aconteceu comigo, eu tive vontade de me aninhar nos braços dela, e isso foi tão repentino, tão inesperado, que acabei sucumbindo. Me atirei para junto dela antes de me dar conta do que estava fazendo.

— Pare! — ela sussurrou, assustada.

E o chicote estalou acima da minha cabeça. Recuei apavorada, era a primeira vez que eu era visada. Ainda tremo só de pensar nisso. Fiquei encolhida, ofegando como se tivesse corrido.

Correr? Eu nunca tinha corrido!

Eu sabia muito bem que nós não podíamos nos tocar e, uma vez que eu não tinha conhecido nada diferente, tomava isso como certo. O impulso que acabara de me dominar despertou coisas confusas em mim: dar as mãos, andar de braços dados, abraçar, essas palavras estavam no meu vocabulário, elas indicavam gestos que eu nunca tinha feito. Um passeio? Talvez eu me lembrasse de gramados ou de estações, já que esses termos faziam ressoar algo muito distante, um eco sutil que se dissipava rápido. Eu conhecia as paredes cinza descascadas, as grades de quinze em quinze centímetros, os guardas que circulavam regularmente no entorno da sala.

— Eles querem o que de nós? — perguntei de novo.

Ela encolheu os ombros.

— A gente só sabe o que eles não querem.

Ela se virou e ficou óbvio que a conversa não iria continuar. Théa era a primeira que tinha consentido em falar bastante, e seria talvez a única?

Fiz um esforço para manter os olhos fechados, esperando que, de tanto fingir que dormia, eu pegasse no sono. Pela primeira vez, entendi que estava vivendo no interior do desespero. Eu me mantivera isolada dele, acreditando que fosse por ressentimento, mas de repente percebi que era por cautela, e que todas aquelas mulheres que viviam sem saber o que a vida delas significava estavam loucas. Fossem ou não responsáveis por aquilo, elas tinham enlouquecido por força das circunstâncias, a razão delas tinha se extraviado porque nada mais fazia sentido na sua existência.

Não sei quantos anos eu tinha. Como não menstruava e praticamente não tinha seios, algumas delas achavam que eu ainda não tinha chegado aos quatorze anos, talvez nem aos treze, mas Théa, que raciocinava melhor do que as outras, achava que eu devia ter quinze ou dezesseis.

— Nós não sabemos há quanto tempo estamos aqui. Você não tem mais a altura de uma criança, e algumas de nós não menstruam há bastante tempo. Não é por causa da idade. Anna é jovem, ela não tem rugas, nem eu, me disseram. Não foi a menopausa que nos fez definhar, foi o desespero.

— Mas então os homens eram muito importantes?

Ela balançou a cabeça.

— Os homens, pequena, significam estarmos vivas. O que é que nós somos, sem futuro, sem descendência? Os últimos elos de uma corrente quebrada.

— Mas então a vida dava tanto prazer assim?

— Você tem tão pouca ideia do que era ter um destino que não consegue entender o que significa ser privada de um do jeito que nós fomos. Repare no nosso modo de vida: nós sabemos que é preciso agir como se fosse de manhã, porque eles aumentam a luz, depois nos passam a comida, e, num dado momento, a luz diminui. Nós não temos nem certeza de que eles nos fazem viver num ritmo de vinte e quatro horas. Como é que a gente mediria o tempo? Eles nos reduziram à privação absoluta.

A entonação dela era dura, ela olhava imóvel para frente. Mais uma vez, senti que queria chorar. Me encolhi toda.

— O que você tem?

A voz dela de repente era tão doce, tão cadenciada, que eu me arrepiei como se tivesse recebido uma carícia. Enfim, imagino que poderia ser dito assim: alguma coisa muito agradável parecia estar se espalhando em mim, algo tão delicioso que me assustou. Me encolhi ainda mais.

— Não quero mais falar — eu disse a ela. — Eu estava melhor quando não tinha entendido nada, quando odiava vocês todas porque guardavam segredos. Vocês não têm nenhum. Vocês não têm nada e não há nada para ter.

— Que segredos você achava que nós tínhamos?

Eu já não me sentia mais humilhada pela minha ignorância, agora que tinha tocado num conhecimento que era doloroso demais para suportar.

— Como se faz amor, com quê, o que acontece, tudo isso. Elas ficam lá compartilhando histórias do passado, fazendo alusões enquanto seguram o riso, e se calam quando eu me aproximo. Eu achava que era isso que importava, e isso não serve pra nada.

— Ah, minha pequena — ela disse, de um jeito tão carinhoso e triste que me jorraram lágrimas.

Eles provavelmente toleravam que chorássemos, desde que fosse com calma, sem escândalo: o chicote não estalou.

Houve alguma agitação, pois a comida estava chegando. Quando a fome batia pela segunda vez desde a manhã, nós dizíamos que era noite. Cozinhávamos o que tinha ali, comíamos, e logo depois as luzes diminuíam. As mulheres diziam que, antes da catástrofe, o costume era fazer três refeições por dia, pela manhã, ao meio-dia e à noite, mas nosso apetite só aparecia duas vezes durante o período de vigília e não se tinha certeza de que eles nos fizessem viver no mesmo ritmo de antes. Essa era uma daquelas discussões que recomeçavam sempre, mas não se renovavam nunca, já que nada mudava. Será que, por não trabalharmos, tínhamos menos necessidades, e duas refeições nos bastavam? Nossos corpos teriam perdido seus hábitos a ponto de podermos dormir a cada oito ou dez horas? Aliás, sabíamos por quanto tempo dormíamos? E se eles nos mantivessem acordadas por oito horas e só nos dessem noites de quatro horas? Ou seis? Os guardas trocavam de turno em intervalos que não correspondiam aos da nossa vida, às vezes no meio do dia, às vezes à noite, ou duas vezes durante o dia. Eu os observava, tentando juntar o pouco que eu sabia, quando me dei conta de que o guarda jovem que tinha olhos azuis devia ter se ausentado: de repente, vi ele caminhando ao longo da grade e percebi que não tinha mais pensado nele e que não vinha inventando histórias há vários dias. Ele sempre me pareceu tão bonito.

Peguei meu prato de comida e sentei ao lado de Théa.

— Bonito, bonita: imagino que sejam palavras de antes, de quando aconteciam coisas — comentei com ela.

Ela me olhou por bastante tempo e depois desviou o olhar.

— Eu era bonita — disse ela. — Não sei se eu ainda sou, precisaria de um espelho. Fiquei grisalha, mas isso não significa que eu seja velha, as mulheres da minha família ficavam com o cabelo branco muito cedo. Minhas lembranças são confusas, acho que eu tinha vinte e oito anos quando nos prenderam. No começo, eu ainda me preocupava em me pentear, eu tinha ficado bem chateada por ter perdido minhas escovas.

Ela falava a meia-voz, como para si mesma, mas eu sabia muito bem que estava se dirigindo a mim.

— Então o meu vestido ficou gasto. Era um vestido lindo de verão, estava na moda, com babados, daquele tipo de tecido delicado que não dura muito. Eu fui uma das primeiras a usar esse tipo de túnica que nós fazemos. Agora, não sobrou nenhum vestido de antes, nem mesmo retalhos, eles foram usados até o último fiapo. Você nem faz ideia.

— Ser bonita era para os homens?

Eu tinha quase certeza, mas às vezes escutava comentários contraditórios.

— Sim. Tinha quem dissesse ser bonita para si mesma. O que você quer que a gente faça com a própria beleza? Eu teria continuado a gostar de mim sendo corcunda ou manca, mas, para que os outros gostassem, precisava de beleza.

— Eu tenho alguma?

Eu a vi sorrir, mas era um sorriso de cortar o coração.

— Sim — ela disse. — Sim. Você provavelmente estaria entre as mais bonitas, porque não teria esse ar carrancudo e furioso, você seria risonha, provocaria os rapazes.

— Às vezes eu provoco o guarda jovem — eu disse impulsivamente.

Eu tinha acabado de entender aquilo.

Quando eu inventava minhas histórias, sempre ia me sentar a pouca distância da grade, do lado por onde ele ia e vinha. Ele andava a passos lentos, vigiando cuidadosamente o que acontecia na jaula, como eles sempre faziam. Agachada, virada para ele, eu não me mexia, eu o seguia com os olhos, eu o observava e, como ele era obrigado a ver tudo, não tinha como não me ver olhando para ele. Apenas uma menina, sentada ali, vestida com sua túnica meio disforme. Meu cabelo era comprido, eu o amarrava na nuca: fora isso, eu não sabia com que eu me parecia. Eu não sabia sequer a cor dos meus olhos, que Théa me disse depois, e não fazia a mínima ideia do que significava estar entre as mais bonitas. Não me parecia que alguma das mulheres fosse bonita: elas eram limpas, nós guardávamos o pouco de sabão que recebíamos para nosso corpo e nossos cabelos, que estavam sempre bem limpinhos. Quase todas tínhamos cabelos compridos, pois não havia como cortá-los, assim como as unhas, que quebravam de qualquer jeito quando tinham crescido demais, e tínhamos um jeito triste, exceto na hora dos risinhos nervosos. Não sei que expressão eu tinha quando olhava para o guarda:

aquilo me ocupava totalmente, eu não era mais que um olhar. Ele nunca punha os olhos em mim: eu tinha certeza que ele sabia que eu o observava constantemente e que ele ficava envergonhado.

— Queria fazer ele perder a compostura.

— Mas por quê? — perguntou Théa, bastante surpresa.

— Não sei. Para ter poder sobre ele. Eles têm o chicote e nos obrigam a fazer o que querem, que é quase nada. Eles proíbem tudo. Eu queria que ele ficasse perturbado, preocupado, assustado, e que não fosse capaz de reagir. Nunca foi proibido ficar sentada e observar.

— Talvez eles proíbam. Eles proíbem o que bem entendem.

— Mas então eles estariam reconhecendo que eu existo. Se você faz algo que já é proibido, a ação é que é visada. Se você faz algo que não foi proibido e alguém intervém, não é a atividade que chama a atenção, é você mesma.

Ela era a mais inteligente das mulheres, mas eu tinha entendido algo que ela não havia pensado, então eu era pelo menos tão inteligente quanto ela! Um turbilhão delicioso correu por mim e eu sorri.

— Eles alimentam quarenta mulheres, aquecem elas e distribuem coisas para se vestirem. Para eles, nós não temos nome, eles nos tratam como se nada nos diferenciasse umas das outras. Eu sou eu. Eu não sou um quadragésimo de um rebanho, uma cabeça de gado entre as outras. Vou ficar olhando para ele até que ele se incomode.

A audácia do meu pensamento me fazia perder o fôlego. Por anos, nós estávamos aqui, reduzidas a uma total impotência, caídas, privadas de tudo, até mesmo das ferramentas para nos matarmos, defecando em plena luz e aos olhos de todo mundo, aos olhos deles: eu queria incomodar um vigia e achava que tinha descoberto o jeito.

— Não conte para ninguém. Eu não quero que as mulheres saibam o que está acontecendo, senão o comportamento delas vai mudar, elas não vão conseguir evitar isso, e o que eu estou fazendo vai perder todo seu poder.

— E se todas nós começássemos a olhar para eles, eles não ficariam ainda mais incomodados?

— Aí eles não ficariam nem um pouco.

Os pensamentos me vinham como certezas fulgurantes e eu me sentia absolutamente segura deles. De onde é que eu os tirava? Continuo sem saber, só sei que eu sentia um prazer imenso com aquilo que estava se passando na minha cabeça.

— Uma coisa que todo mundo faz não tem sentido. Não passa de um hábito, um costume, ninguém sabe como começou, só se fica repetindo mecanicamente. Para conseguir perturbá-lo, tenho que ser a única que o observa.

Théa estava pensando. Não tenho certeza se ela me entendia totalmente, eu estava tomada de uma autoridade irrefutável e nada iria me parar.

— Eu não sei para onde tudo isso pode nos levar — eu disse a ela. — E é isso que é extraordinário: nessa nossa vida absurda, eu inventei algo inesperado.

Ela balançou de leve a cabeça.

— Está bem — ela disse. — Vou continuar pensando sobre isso.

Voltei para a minha posição, sentada de pernas cruzadas, o olhar grudado no guarda jovem.

Ele era realmente bonito ou eu só achava ele bonito por ser o único homem que não era velho? Eu, que sabia tão pouco e que não me lembrava do mundo, conhecia os sinais da idade. Eu tinha visto os cabelos ficarem grisalhos e depois brancos, as manchas aparecerem, a calvície ameaçar o topo da cabeça nas mulheres mais velhas, as rugas, o ressecamento, as pregas, os tendões enfraquecidos, as costas arqueadas. O guarda tinha uma pele limpa, suas passadas eram leves, como eu sentia que eram as minhas, apesar do pouco espaço que havia para se desenvolverem, ele tinha a coluna ereta e era jovem como eu. Isso me pareceu estranho: será que não havia mais velhos o bastante? Será que estavam todos mortos? Ou será então que não sabiam o que fazer com os jovens, não imaginavam mais tarefas para dar a eles e os mandavam perambular entre a jaula e as paredes? Nunca tinha visto um guarda jovem antes, pensei comigo, e meu coração disparou. Há quanto tempo ele estava ali? Tive a sensação de que eu não reparara nele de imediato, eu não tinha contado os dias, não fazia ideia de quando tinham começado as histórias, eu não tinha nenhum ponto de referência. A menos que eu estivesse enganada, se a presença dele era recente, então, pela primeira vez em muitos anos, alguma coisa havia mudado. Lá fora, para além das paredes, naquele mundo exterior que era totalmente escondido de nós, exceto pela comida que comíamos e pelos tecidos que nos davam, algo acontecera, e as consequências estavam chegando até nós. Os vigias sempre foram tão velhos que não reparávamos na sua mudança de idade. Eu era uma menininha quando cheguei, agora era uma mulher, definitivamente virgem, mas adulta, apesar dos seios inacabados e da puberdade interrompida: eu tinha crescido, nós podíamos medir pelo meu corpo a passagem do tempo. As velhas não mudavam mais do que os vigias velhos, os cabelos tinham ficado brancos, mas isso aconteceu tão devagar que não ficamos surpresas. Eu tinha sido um relógio: ao olhar para mim, as mulheres olhavam seu próprio tempo correr. Talvez por isso elas não gostassem de mim, talvez eu as fizesse chorar apenas por existir. O guarda jovem não era uma criança quando chegou, ele era alto, os cabelos muito espessos, o rosto sem rugas:

quando as primeiras marcas da idade aparecessem nele, eu apalparia minha pele para saber em que pé eu estava. Ele também seria um relógio, nós envelheceríamos na mesma velocidade. Eu poderia observá-lo e estimar, de acordo com o ritmo das suas passadas, o tempo que me restava.

Houvera, portanto, uma mudança. Em algum lugar, uma decisão tinha sido tomada, ela nos dizia respeito e nós podíamos constatar seus efeitos: um dos velhos desaparecera, talvez tivesse morrido, e fora substituído. Será que isso tinha escapado da atenção daqueles que governavam nossas vidas? Estariam eles pouco ligando por nos darem uma informação ou a vigilância tinha afrouxado?

Eu não tirava os olhos dos guardas. Eles estavam sempre em três, indo e voltando pela galeria. Nunca falavam um com o outro. Quando se cruzavam, eles não se olhavam, mas fiquei com a impressão de se vigiarem entre si tanto quanto nos vigiavam. Devia haver o temor de que eles transgredissem as regras, de que falassem com a gente. Tive mais uma vez uma intuição fulgurante, eu estava compreendendo por que era preciso que estivessem em três: isso impedia que surgisse alguma cumplicidade entre eles, não lhes era permitido ter uma conversa privada, o que poderia nos dizer alguma coisa, e eles tinham que manter o tempo todo aquela postura de carcereiros desconfiados. Os dois homens que circulavam com o guarda jovem estavam lá havia muito tempo. Ao longo dos primeiros anos, as mulheres tentaram falar com os vigias, fazer exigências ou sensibilizá-los, mas nada foi capaz de superar sua cruel indiferença. Então elas desistiram e passaram a agir como se não os vissem, como se tivessem apagado a presença deles das suas mentes — ou como se eles próprios fossem colunas às quais as mulheres acabaram por se habituar a ponto de já não esbarrarem nelas. Ninguém sequer sonhava que eles fossem se sentir humilhados por isso, mas o orgulho das prisioneiras ficava preservado. Elas já não reclamavam para eles e já não tomavam sua imperturbabilidade como um insulto. O olhar daquela menina, sentada absolutamente imóvel, ganhava, sem sombra de dúvida, mais força.

Eu não me contava mais histórias: ao observar o vigia, eu estava criando uma. Era preciso paciência, eu não tinha nenhuma outra coisa para gastar. Não sei quantos períodos de vigília correram assim. Eu refletia bastante, me ocorreu que não deveríamos mais pensar em termos de dias e de noites, mas de períodos de vigília e de sono. Minha certeza estava se consolidando: nós não vivíamos num ciclo de vinte e quatro horas. Quando a luz diminuía, nenhuma de nós estava cansada: as mulheres diziam que era porque elas não tinham nada para fazer. Talvez tivessem razão, eu não fazia ideia de como era trabalhar. Foi por observar constantemente o guarda jovem que eu fiquei convencida. As trocas de turno não aconteciam na hora de levantar, de fazer as refeições ou de deitar, situações em que tínhamos que circular por todas as direções, mas em períodos neutros e irregulares. A porta principal se entreabria, os três homens que estavam andando em volta da jaula se reuniam, às vezes saíam todos da sala enquanto os próximos entravam, às vezes só um ou dois eram substituídos. Havia alguma relação entre os horários deles e os nossos? De que jeito eu podia avaliar a passagem do tempo? Eu não tinha outros sinais além dos ritmos do meu corpo.

Théa me ensinou que o coração sempre bate no mesmo compasso, de setenta a setenta e quatro vezes por minuto numa pessoa saudável.

Comecei a contar.

Haviam me ensinado pouquíssimas coisas. Trinta, quarenta, cinquenta, algumas mulheres diziam *septante*, enquanto outras diziam *soixante-dix*, existia também *octante*, eu tive que enfiar na minha cabeça a ordem das dezenas, e depois disso percebi que não sabia a tabuada e que praticamente não sabia dividir. Se, entre o instante em que a luz aumentava e a próxima troca de turno, quando o guarda jovem chegava, meu coração tivesse batido sete mil e duzentas vezes, isso daria cem minutos, bastava multiplicar por cem os setenta e dois de Théa, mas isso poderia dar três mil duzentos e vinte ou cinco mil e doze! Eu não tinha capacidade para fazer as operações necessárias. Eu podia me concentrar e contar, mas não conseguia usar os números que eu obtinha.

— Você pode me ensinar a calcular? — perguntei a Théa.
— Sem papel? Sem lápis?
Ela explicou:
— Nós não somos tão indiferentes quanto você pensa, e já discutimos bastante sobre a sua educação. Ensinar a ler? Com quê, e para ler o quê? Contar, até um certo ponto, foi possível, mas só para calcular de cabeça, e nós não tivemos como mostrar para você as quatro operações. Você não ia saber ler um número. Hélène e Isabelle te ensinaram a tabuada, você deve ter esquecido porque nunca precisou dela pra nada. Além do mais, quando você percebeu que não era um jogo, você se recusou, ficou mal-humorada. Nós não podíamos te forçar e, por causa dos guardas, também não podíamos dar nenhum castigo. Não conseguíamos fazer você ter vontade de aprender coisas cujo sentido você não entendia e, no final das contas, nós não víamos realmente a necessidade delas. Oito vezes oito, e depois o quê? Tem sessenta e quatro de alguma coisa aqui? Ensinar para você o que quer que fosse fazia algum sentido?

Eu sabia o que era ler, mas nunca tinha visto nada escrito. Eu tinha, quando muito, entendido a ideia de letras, suas combinações, de palavras. Elas tinham falado dos livros, dos poetas.

— Se nunca sairmos, eu vou ser uma burra.

— Sair...

Ela estava me encarando e eu entendi que havia imagens passando na sua mente que eu não conseguiria sequer imaginar. Claro, eu devia ter visto o sol, as árvores, os dias e as noites: eu não tinha nenhuma lembrança daquilo e, ainda que pressentisse o que estava ocupando o olhar interior de Théa, não era capaz de representá-lo para mim.

— Ai, minha pequena! — ela disse, por fim. — Pobrezinha, você não corre esse risco. Mas é verdade que, se isso acontecesse, você poderia nos acusar de termos sido péssimas professoras, e nós iríamos chorar de alegria com suas acusações.

Olhei para as mulheres: elas tinham acabado de receber os legumes e estavam agitadas como de costume, procurando um jeito novo de preparar as couves e as cenouras, apesar de terem somente água e sal à disposição. Elas já não me pareciam tão tolas, pois eu estava compreendendo que, por não terem nada nas suas vidas, elas pegavam o pouco que aparecia e usavam ao máximo, explorando cada migalha de acontecimento para alimentar suas mentes famintas.

— Ontem, entre o momento em que a luz aumentou e o da chegada do guarda jovem, ou seja, quando teve a troca de turno, meu coração fez três mil duzentos e vinte batimentos, e hoje, cinco mil e doze. Quanto tempo isso dá?

Deu para ver que ela estava segurando o ar.

— O quê? Você contou?

— Isso pode servir para estimar o tempo.

O guarda jovem caminhava devagar ao longo da grade, os outros dois o seguiam a alguns passos de distância. Nunca se afastavam uns dos outros, nunca andavam lado a lado.

Enquanto conversava com Théa, eu não tirava os olhos da minha presa: os olhos dele nunca se voltavam para mim.

— Já que você contou, o mínimo que eu posso fazer é tentar calcular — ela disse. — Há tanto tempo não faço isso! Mas como é que eu vou saber a que velocidade o seu coração bate?

— Você me falou de um ritmo normal.

— Sim, mas existem variações individuais, e como eu poderia saber se o seu coração bate no ritmo usual? Eu não posso nem tomar o seu pulso, nós não podemos nos tocar.

— Eu posso tomar o meu, já fiz isso. Eu vou dizer *toc* a cada batida. Aí você compara com o seu coração, isso vai nos dar algo para começar.

Meu ritmo era mais lento que o dela.

— Você é mais nova, deve estar mais perto da média do que eu. Meu ritmo era um pouco acelerado. Como podemos saber?

— Pouco importa se a unidade não é bem exata: o que interessa é ter uma unidade. Vamos usar setenta e dois.

— Não. Já que, de todo modo, a gente não tem certeza, eu vou dividir por setenta. É mais fácil e, mesmo assim, eu não tenho certeza se não vou me perder nas contas.

Ela se calou, seu olhar ficou fixo e ela começou a sussurrar. Eu a escutava sem tirar os olhos do guarda.

— Para três mil duzentos e vinte, dá quarenta e seis. Bom, eu acho. Estou surpresa que o resultado tenha sido exato. Vou tentar de novo.

Um dos guardas velhos me examinou com atenção durante dois ou três segundos.

— Sim, é quarenta e seis mesmo. Vou tentar cinco mil e doze.

Os guardas tiveram tempo de dar uma volta completa antes que ela tivesse terminado.

— Setenta e um ou setenta e dois, tem vírgula.

— Isso dá ou quarenta e seis minutos depois de levantar, ou setenta e um ou setenta e dois?

— Quarenta e seis minutos, ou uma hora e onze ou doze.

Ela estava emocionada.

— Que coisa curiosa! Que relação pode ter entre quarenta e seis minutos e uma hora e doze?

Eu não estava entendendo.

— Nós trabalhávamos de sete a oito horas por dia, dependendo do emprego — ela explicou. — Começávamos todos os dias no mesmo horário, ou então fazíamos rodízios de turnos para manter os plantões: mas nunca tinha uma variação de vinte e cinco ou vinte e seis minutos de um dia para o outro. Será que isso significa alguma coisa?

Ela estava se referindo a um modo de vida que eu desconhecia completamente, e a única coisa que eu podia fazer era escutá-la.

— Continue contando. Conte os tempos amanhã.

— Amanhã? Mas é amanhã no sentido de antes?

Aquele primeiro sucesso me deixou ambiciosa. Fiquei pensando que havia outros ritmos além dos batimentos do coração e passei a prestar atenção no meu corpo. Eu sabia que a menstruação acontece a cada vinte e oito dias e fiquei muito chateada que aquele indício me faltasse, mas observei as variações do meu apetite. Às vezes eu sentia muita fome ao acordar e a espera pela refeição me parecia longa. Havíamos colocado na cabeça que eles nos passavam a comida em horários fixos: percebi que isso estava errado. Entre as duas refeições, às vezes se passavam três, às vezes cinco horas. Depois de ter contado umas dez vezes, ficou claro que o guarda jovem chegava em momentos completamente variáveis. Não vou listar os números que obtive, embora me lembre perfeitamente deles: são as datas de nascimento do meu pensar. Théa os achou tão estranhos que ficou se perguntando se os intervalos não eram completamente aleatórios. Mas ele quase nunca ficava mais de seis horas, de acordo com o meu coração. Quando chegava, parecia disposto e descansado — de tanto observá-lo, eu o conhecia bem — e, ao final do turno, ele dava leves sinais de fadiga. Seus passos, é claro, continuavam ágeis, ele mantinha a cabeça ereta: eu não conseguia definir com precisão o que é que sugeria o cansaço. Ele estava com o rosto mais pálido? O olhar menos penetrante? Estava andando um tantinho mais devagar?

A troca de turno acontecia sempre em momentos distintos das refeições e das nossas horas de sono. Aquilo me pareceu estranho.

— Olha, eles estão dando uma pista — eu disse a Théa. — O tempo deles não é o mesmo que o nosso. Nós vivemos juntos, na prática, eles e nós: não seria natural que tivéssemos os mesmos ritmos?

Dava para ver que ela não estava entendendo meu raciocínio.

— Quando um dos guardas não aparece por sete ou oito horas, podemos supor que ele tenha ido dormir. Mas esses períodos nunca batem com o nosso tempo de sono. Eu teria que ficar acordada para ter um cenário mental das ausências deles.

Théa ficou pensando, depois franziu as sobrancelhas e balançou a cabeça:

— O que esses dois tempos desencontrados podem significar?

— Você que conheceu o mundo real. Eu não consigo tirar nada disso aí.

Ela disse que não estava chegando a lugar nenhum, que não conseguia relacionar aquelas coisas entre si e que era hora de colocar as outras mulheres a par do segredo.

— Não estou conseguindo mais pensar. São muitos dados complicados, eu não sou capaz de juntá-los. A gente precisa compartilhar o que descobriu e ver o que elas acham.

Eu obviamente não gostava da ideia, mas consegui perceber que aquilo era demais para Théa e concordei com ela. Ela começou com reuniões pequenas e discretas: chamava uma ou duas mulheres de lado, avisava que ia contar coisas extremamente surpreendentes e pedia que mantivessem uma postura que não alertasse os guardas. A ideia de nos surpreendermos com a vida que levávamos, por si só, gerava inquietação, e muito rápido Théa se tornou perita na arte de acalmar. Nos primeiros anos, elas tinham aprendido a se controlar, depois, com a monotonia disparatada dos dias, elas já não tinham mais nada para controlar. O anúncio de uma novidade era perturbador. No início, a novidade em si era menos chocante que sua própria existência, elas diziam: "Não é possível!", e então ficavam abaladas. Théa desenvolveu técnicas. Ela começava dizendo: "Mantenha a calma. Continue o que você estava fazendo" — descascar um legume, reforçar uma costura, fazer uma trança no cabelo, havia tão pouca coisa possível — "sem mudar o ritmo e, para isso, tome consciência desse ritmo, da amplitude dos seus gestos". A mulher que escutava esse discurso com certeza ficava intrigada, mas com moderação. Como nós vivíamos sob vigilância, a ideia de se esconder atrás do fato de não mudar de atitude era rapidamente entendida, e elas seguiam sem dificuldade as instruções de Théa. Espalhou-se o rumor de que algo extraordinário estava acontecendo e de que o mais importante era não demonstrar nada. Tenho a impressão de que, se houve algum mínimo estremecimento de excitação, foi algo suficientemente silencioso para passar despercebido pelos guardas. As mulheres conversavam alegres sobre tudo quando não havia nada para falar, então não dava para perceber a diferença. Elas recapitularam tudo que sabiam sobre o mundo de antes e se deram conta de que tinham esquecido bastante coisa. Em sua maioria, elas tinham sido pessoas com pouca instrução, que viviam sossegadas nas suas casas, cuidando dos filhos, das compras, do trabalho doméstico, acho que não tinham muito o que esquecer. Então se meteram a pensar: estavam com a cabeça enferrujada e acharam aquilo difícil.

Não descobriram nada.

Quanto a mim, eu seguia na minha contagem. Pouco a pouco fui conseguindo contar sem pensar, enquanto conversava, enquanto comia e, sem demora, enquanto dormia. Eu acordava com um número na cabeça: no início, isso me pareceu impossível. Fiquei desconfiada, depois me convenci. Théa me disse que eu desenvolvera uma aptidão que talvez não fosse tão extraordinária assim, simplesmente ninguém antes de mim havia precisado dela.

Eu tinha contado meus batimentos um por um, e em seguida me vi diante de números extravagantes, que resistiam ao cálculo mental. Com setenta e dois batimentos por minuto, uma hora eram quatro mil e duzentos, e, no final do dia, eu contava mais de cinquenta mil, já não era possível lidar. Decidi mudar minha técnica: eu contava setenta e dois, reservava um na cabeça, depois começava de novo e passava para dois, mas fiquei com receio de me atrapalhar com essas duas escalas diferentes. Então uma mulher passou a me ajudar, fazendo papel de ábaco: eu dizia um, ela memorizava, depois eu dizia dois. Ela se tornou desnecessária em seguida, porque eu não cometi nenhum erro e vi que conseguia manter a contagem com precisão. Depois de um tempo, eu já não precisava contar os números um a um, algo se encaixou dentro de mim e me avisava a cada setenta batimentos. Eu me tornei um relógio vivo.

Nossos dias duravam de quinze a dezoito horas, com alternâncias aleatórias. A partir do momento em que a luz diminuía, o que chamávamos de início da noite, passavam-se mais ou menos seis horas antes de nos fazerem acordar. Foi assim que ficou estabelecido que nós vivíamos num horário artificial. Precisávamos de hipóteses para isso.

Emma deu a mais disparatada:

— Nós não estamos na Terra. Nós estamos num planeta que gira em dezesseis horas e meia.

De que jeito nós teríamos sido transportadas para lá?

— Como é que nós viemos parar aqui no porão? — perguntei.

Ninguém sabia de nada, o que me deixou pasma. Eu atribuíra minha própria falta de lembranças ao fato de ser muito jovem e ao estado de choque do qual Théa me falara, mas as outras não sabiam mais do que eu. Aparentemente, a vida estava seguindo seu curso normal e, de repente, no meio de uma noite que havia começado como todas as outras, surgiram os gritos, as chamas, a correria, coisas que eu, que tinha vivido sempre na calmaria do porão, não fazia a mínima ideia de como eram.

— Tinha drogas estranhas, que afetavam a memória, produziam falsas lembranças — disse Emma.

Théa não tinha certeza se aquilo era verdade. Havia corrido todo tipo de rumor, nenhum que pudesse ser confirmado, histórias de lavagem cerebral, de manipulação genética, de robôs tão perfeitos que eram tomados por seres humanos.

— A questão é que nenhuma de nós parece ter lembranças coerentes que nos permitam reconstituir o que aconteceu. Nós não sabemos nem mesmo se houve uma guerra — disse Dorothée. — Eu tenho imagens confusas, vejo chamas, pessoas correndo em todas as direções, e me parece que estou amarrada, que estou com medo. Isso continua por bastante tempo, eu ainda estou com medo, mas não tem mais nenhuma imagem.

— Quanto a mim, nem tenho muito o que dizer — disse Annabelle. — Tem a minha vida normal, as coisas do dia a dia, e então uma espécie de pânico que eu sempre tive medo de relembrar. Depois, já é aqui, eu estou deitada num colchão e não estou surpresa com isso.

— As guerras não funcionam assim. Tem bombardeios, sirenes de alerta.

— Não tinha nenhuma guerra. Pelo menos não onde nós estávamos. Claro, era uma época conturbada, mas as pessoas instruídas diziam que não se sabia mais o que era sossego fazia bastante tempo.

— Fomos invadidos pelos chineses. Ou pelos negros.

— Ou pelos marcianos!

Elas estavam sempre prontas para rir, e eu estava começando a entender que aquilo não era tolice ou futilidade, mas uma forma de sobreviver.

— Mas por que eles iriam nos levar para um outro planeta? Para que é que nós podemos servir para eles?

— Para nada, é óbvio — disse uma outra. — Nós ainda estamos na Terra. Quinze ou vinte anos atrás, não, menos, é só olhar para a pequena, quando nós fomos confinadas, eles tinham um propósito, estavam nos colocando à parte para alguma coisa. Aí extraviaram uma papelada, os funcionários deram um jeito para que não viesse à tona, e continuam nos vigiando e nos mantendo vivas sem que ninguém seja o responsável por isso. Nós somos o produto de um erro administrativo.

— Mas dezesseis horas! Isso não explica as dezesseis horas!

— E é incompreensível que a gente não consiga encontrar nenhum padrão na rotina dos guardas. Minhas lembranças de antes são nebulosas, mas eu tenho certeza que se trabalhava em horários regulares. Era preciso até bater ponto.

— Uma vez, uma única vez desde que eu comecei a contar, o guarda jovem ficou por quase onze horas seguidas de pé, circulando em volta da jaula. No fim, ele parecia bem cansado, estava pálido, mas não reclamou. Nunca vi ele dar algum sinal de impaciência — eu disse.

Nossas conversas seguiram desse jeito, num blá-blá-blá sem fim. As tentativas de relembrar os primeiros anos do confinamento foram infrutíferas. Parecia que as mulheres tinham emergido lentamente de uma névoa interior para se verem habituadas à vida estranha que levavam. Não havia nada que sugerisse uma rebelião. Elas tiveram maridos, amantes, filhos: elas se deram conta que, de tanto terem medo de pensar naquilo, por causa da tristeza, esqueceram de quase tudo. Minhas perguntas estavam reabrindo as feridas. No entanto, elas não tentaram me calar, pois estavam assustadas por terem perdido a própria história. Théa aos poucos se convenceu de que elas tinham sido drogadas.

— Olhe para nós, olhe como nós vivemos. Fomos privadas de tudo aquilo que fazia de nós seres humanos, mas nos organizamos, imagino que para sobreviver, ou porque, quando se é humano, não se pode evitar. Nós recriamos regras com o que nos restou, nós inventamos um protocolo. A mais velha serve a sopa nas tigelas, eu cuido dos trabalhos de costura, quando é o caso, Annabelle reconcilia as que brigaram, e nós não sabemos de que jeito isso se estabeleceu. Nós devemos ter vivido como sonâmbulas por um período muito longo e, quando acordamos, já estávamos adaptadas.

— E aquela vez que Alice quis se matar e Clotilde impediu?

— Essa é uma lembrança mais nítida no meio de tanta confusão. Ninguém sabe quando foi isso.

Eu estava contando havia quatro meses. Decidíramos não nos preocuparmos mais com as alternâncias aleatórias que nos impunham, meu coração nos serviria de relógio. Uma noite, quando as luzes diminuíram, decidimos que eram onze horas e que, a partir daquele momento, eu contaria os dias com vinte e quatro horas, como antes. Às vezes, enquanto estávamos almoçando, comendo sem prazer os legumes cozidos, uma mulher me perguntava as horas e eu respondia:

— Duas da manhã.

Isso restabelecia a revolta naquelas cabeças cheias de brumas. Nós tínhamos um horário próprio, que nada tinha a ver com o tempo daqueles que nos mantinham confinadas, e redescobríamos nossa qualidade de seres humanos. Já não éramos mais cúmplices dos vigias. Dentro das grades, meu coração poderoso e regular de garota furiosa nos restituíra um domínio próprio: nós tínhamos fundado uma zona de liberdade. Surgiram novas brincadeiras. Quando a grade se abria pela segunda vez e recebíamos alguns quilos de macarrão, se fossem oito horas da manhã pelo meu coração, sempre tinha alguma mulher que dizia:

— Ah! Chegou o café da manhã!

Ou então, à meia-noite:

— Acabou o espetáculo, hoje vamos jantar fora.

E caíamos na gargalhada. Eu ria também, agora consigo me lembrar, pois eu tinha parado de ver as mulheres como inimigas desde que elas passaram a receber de mim aquilo que eu podia lhes dar: a hora. Eu não tinha me esquecido do guarda jovem e, quando ele estava em serviço, eu continuei a observá-lo, sentada junto à grade, na esperança de que um dia ele se traísse e desse algum sinal de que havia me notado, mas isso não aconteceu. Ainda me pergunto se foi por disciplina ou se ele realmente nunca ficou impressionado com o fato de que uma das mulheres, sempre a mesma, não tirava os olhos dele nem por um instante. Eu já não me contava histórias.

Eu tinha criado a única novidade possível na nossa vida imóvel. Enquanto meu olhar seguia o guarda jovem, ninguém vinha falar comigo, para marcar uma diferença e chamar a atenção sobre mim. Isso me dava bastante tempo para reflexão. Passei a temer que aquela rotina nos deixasse alheias de novo. Tinha a impressão de que certas discussões já não despertavam mais um interesse tão vivo, que várias mulheres bocejavam quando voltávamos a procurar um sentido na falta de sincronia dos horários. Elas resmungavam que estávamos fazendo um esforço totalmente inútil, que não conseguiríamos descobrir nada, que tudo era arbitrário. Quanto a mim, eu dizia a mim mesma que, se a empolgação diminuísse, eu ia voltar a odiá-las e a me sentir sozinha, apesar de ter me divertido. Elas fariam de novo brincadeiras que me deixariam excluída e minha raiva retornaria. Mas Théa achava que eu estava enganada e que elas tinham realmente acordado.

— É até perigoso — ela acrescentou. — Tenho medo que os guardas se deem conta e nos droguem de novo. Aí nós voltaríamos à inércia, estaríamos meio mortas e nem perceberíamos. Não consigo imaginar nada mais humilhante.

Inevitavelmente, o sofrimento voltou junto com a memória. Sentadas frente a frente, elas ousavam encarar suas raras lembranças, tentavam exumar o passado em longas conversas, tateando no escuro através dos obstáculos. Elas lutavam contra a amnésia, que talvez fosse um alívio, e contra o medo. Elas escutavam umas às outras com atenção, e quando surgia uma ideia, elas interrompiam a pessoa que estivesse falando, com pressa para compartilhá-la antes que esquecessem. No entanto, elas mantinham uma certa rigidez como forma de se protegerem das lágrimas, que teriam alertado os guardas. Eu não fui excluída, eu havia conquistado o meu lugar entre elas, ainda que eu só pudesse escutar.

Mas isso não durou muito, pois um grande acontecimento ocorreu.

É preciso que eu relate com exatidão, o que me parece difícil por causa do choque e do espanto. Ocorreu no momento em que os vigias estavam abrindo a pequena parte da grade por onde eles nos passavam a comida. As tigelas e as panelas ficavam sempre dentro da jaula, nós as empilhávamos ao lado das pias, mas tínhamos que devolver os talheres, que fazíamos deslizar entre as barras depois das refeições. Os mantimentos eram trazidos sobre carrinhos enormes, tínhamos que pegá-los com as mãos para colocá-los nos recipientes, o que era desagradável e difícil. No fundo da sala, do outro lado da grade, uma grande porta de metal se entreabria e imediatamente nossa curiosidade era atiçada. O que teríamos hoje? O que iríamos poder preparar? Dois dos vigias iam até a porta e puxavam o carrinho na direção deles, enquanto o terceiro continuava a nos observar, o chicote sempre pronto. Primeiro nós tínhamos que pegar a concha para a sopa, as quarenta colheres e as facas ruins, que seriam usadas para descascar os legumes. Naquele dia, havia cenouras e carne de gado cortada em cubos grandes, e as mulheres logo começaram a discutir se iriam cozinhar todas as cenouras ou se reservariam algumas para comer cruas. Também havia batatas, o que fazia a alegria de todo mundo, pois raramente as recebíamos. Elas diziam que era estranho, já que as batatas eram, no mundo de antes, um alimento tão barato e tão rico em várias coisas que, segundo Théa, era possível manter a saúde em bom estado comendo exclusivamente isso. Mas a quantidade de comida nos pareceu insuficiente, mesmo para o apetite ridículo de mulheres que não se movimentavam e não tinham praticamente nada para fazer, de modo que o contentamento não durou. Um dos guardas introduziu uma chave na fechadura da pequena grade. Naquele exato momento, um barulho assustadoramente alto ressoou.

Eu nunca tinha ouvido nada parecido com aquilo, mas as mulheres congelaram de imediato, pois reconheceram a sirene de alerta. Era um clamor enorme que ia aumentando sem parar, machucando os ouvidos. Fiquei completamente espantada e acho que, pela primeira vez desde que eu a desenvolvera, perdi a contagem do tempo. As mulheres que estavam sentadas deram um pulo, as que estavam junto à grade para pegar a comida recuaram. O vigia largou seu molho de chaves, abandonando na fechadura, e se virou para os outros. Eles se entreolharam por um instante e então, num mesmo movimento, tomaram fôlego e correram em direção à porta principal, empurraram suas folhas duplas, as deixando completamente abertas, coisa que nunca tinha acontecido, e saíram.

Eles saíram. Pela primeira vez desde o início do confinamento, havia somente mulheres no porão.

Para mim, o primeiro choque passou rápido. Saltei para frente, passei o braço entre as barras, terminei de girar a chave e a tirei da fechadura com o molho todo. Empurrei a gradezinha e ela se abriu. Recuei com as mãos cerradas, pois eu estava segurando a coisa mais preciosa do mundo. Meu relógio interior tinha retomado seu movimento, e posso dizer que nós ficamos daquele jeito por mais de um minuto, imóveis diante da porta aberta, ainda incapazes de reagir. A emoção tinha me tirado o fôlego, eu estava ofegante. Respirei. Me agarrei nas barras, pulei e passei para o outro lado para abrir a fechadura grande. Havia várias chaves no molho, tive que tentar duas até encontrar a certa e, como nunca tinha manuseado uma chave antes, eu não tinha jeito com aquilo, mas consegui abrir a porta da jaula. Petrificadas pelo espanto, as mulheres ficaram me observando fazer aquilo, pareciam não entender o que estava acontecendo.

— Venham! — gritei para elas. — Saiam, venham!

Então eu corri para a outra porta. Eu não tinha ideia do que iria encontrar lá. Eram apenas cinco ou seis passos, que me bastaram para me questionar se não daria de cara com os guardas, se eu não estava correndo na direção do perigo, mas pensei que, se fosse preciso, elas viriam em meu socorro e que quarenta mulheres enfurecidas fariam frente a alguns guardas, mesmo armados. Passei pelas folhas abertas da porta principal e me vi num corredor amplo, onde não havia ninguém. De cada lado, diversas portas davam para salas sobre as quais eu ainda não sabia nada.

A primeira mulher a se juntar a mim foi Théa e, logo depois dela, Dorothée, aquela que me interrogara. Elas tinham a mesma expressão de incredulidade. Elas falavam, mas com o uivo contínuo da sirene, eu não conseguia entendê-las. Percebi que eu também estava falando, estava dizendo que eles não estavam mais lá, que tinham ido embora, que tinham fugido, nem sei mais o quê, eu ficava repetindo a mesma coisa sem parar, como uma verdade inacreditável que precisava ser dita mil vezes para que nos convencêssemos dela. Persistimos por alguns segundos naquela conversa de surdos, então, de repente, a sirene parou, como se fosse sufocada pelo seu próprio clamor.

— Eles foram embora — eu disse.
Dorothée balançou a cabeça. Théa repetiu:
— Eles foram embora.

Estávamos tão perplexas que ficamos paralisadas, os braços caídos ao longo do corpo. As outras mulheres apareceram, uma após a outra, timidamente, depois, à medida que iam se tranquilizando, elas se amontoaram, e foi uma confusão naquele corredor estreito demais para conter todas nós. Eu recuei, entrei numa das salas, olhei ao redor. Havia uma mesa grande, algumas cadeiras, armários. É claro que, naquele momento, eu ainda não sabia o nome de todas essas coisas, estava vendo objetos que não era capaz de entender, entre os quais eu me esgueirava rápido, pois tinha enxergado uma outra porta no final daquele ambiente. Ela também estava aberta e dava para a escada.

Eu digo escada hoje, como se, naquele momento, eu soubesse o que era e o que estava procurando. Na verdade, nós sequer tínhamos certeza se estávamos no subsolo. As mulheres achavam que sim, porque não havia nenhuma janela. Eu nunca tinha estado no pé de uma escada, mas tinha ouvido falar delas e imediatamente entendi o que estava vendo. Subi depressa alguns degraus e me virei para chamar, o que não foi necessário, pois Théa e Dorothée tinham me seguido. As passadas delas eram mais hesitantes que as minhas: mais tarde me disseram que ainda temiam que os guardas aparecessem, que antes de me seguir elas gritaram para as mulheres, avisando que tinham que estar prontas para lutar, e elas responderam que morreriam se fosse preciso, mas que não voltariam para a jaula. Quanto a mim, eu já não pensava neles. Estava correndo para o alto, não estava refletindo, estava subindo numa espécie de arrebatamento de todo o meu ser, sim!, uma embriaguez próxima daquele prazer que eu não conseguia mais me proporcionar com as histórias desde que eu tinha saído do meu isolamento e começado a conversar com as mulheres, um entusiasmo que me carregava com tanta força que, acho eu, se naquele momento tivesse aparecido um guarda, ainda que ele tivesse o dobro da minha altura, eu o teria derrubado e teria pisado nele, eu estava possuída por uma felicidade selvagem tal que mais nada importava, escalava sem ofegar, sem cansaço, eu, que nunca havia dado mais de vinte passos em linha reta, eu voava ao longo dos degraus como naqueles sonhos que só fui ter mais tarde, mas dos quais eu tinha escutado as mulheres falarem, nos quais levantamos voo, planamos como os pássaros que eu logo veria se deixarem levar pelas correntes, andarem à deriva sem esforço, dançarem longamente sob o crepúsculo como eu dançava ao longo dos degraus, aérea, flutuando indefinidamente, uma ascensão inebriante rumo a algo desconhecido, naquele momento eu não sabia o quê, o exterior, o mundo que não era a jaula, e eu não tinha pensamentos, mas um êxtase profundo que me transportava, e imagens, talvez, que percorriam minha cabeça, ou apenas palavras que jaziam em mim e estavam se erguendo para receber as imagens iminentes, o céu, a noite, o horizonte, o sol, o vento, outras ainda, incontáveis, acumuladas havia anos e que se apressavam, me empurrando para frente. Ah! Aquela primeira vez que subi a escada! Quando a evoco, meus olhos se enchem de lágrimas, sinto meu entusiasmo como uma enxurrada de glória. Acho que eu aceitaria reviver doze anos de confinamento por aquela ascensão prodigiosa, aquela certeza admirável que me deixava tão leve a ponto de atravessar os cem degraus de uma vez só, sem parar para respirar, e rindo.

    De repente, me vi lá em cima. Eu estava naquilo que nós, mais tarde, chamamos de guarita: três paredes e uma porta, também aberta, a planície diante dos meus olhos. Eu pulei, eu olhei. Era o mundo.

Era dia. O céu estava cinza, mas não era o cinza sem vida das paredes do porão: grandes massas de tons sutis deslizavam suavemente num vento fraco. Reconheci as nuvens, que tinham uma coloração rosada por conta do sol brilhando por trás delas. Uma estranha emoção tirava meu ar, mais contida e delicada que a exaltação que me carregara escada acima. Eu teria gostado de ficar ali um pouco mais, mas havia mil outras coisas para descobrir. Estava garoando. O acaso quis que saíssemos num dia de chuva. No decorrer do tempo, percebemos que era algo raro naquela estação. Avancei, ergui os braços e o rosto na direção daquela água incrível, da qual eu tinha ouvido falar, mas não era capaz de imaginar. Tinha algumas gotas nas minhas mãos e eu lambi, encantada. O vento, por mais fraco que fosse, fez meu vestido molhado logo grudar nas minhas coxas, e aquilo me pareceu extraordinário.

— Mas onde é que nós estamos? — disse uma voz atrás de mim.

Era Dorothée, sem fôlego, que se apoiava em Théa. As duas olhavam para todos os lados e eu as imitei: não se via nada além da planície pouquíssimo ondulada que se estendia até onde a vista alcançava, de um extremo ao outro do horizonte.

— Nós estamos fora — eu disse, rindo. — E nem sinal dos guardas. Foram todos embora.

— Isso aqui é longe de qualquer cidade, não tem nenhum indício de algo habitado por perto. Eu sempre achei que devíamos estar nos arredores de algum grande centro — disse Théa.

Dorothée franziu as sobrancelhas.

— Nunca vi nada assim na minha vida. Essa planície

é imensa, não termina nunca. Nós não estamos no meu país, lá sempre tinha montanhas.

Théa parecia tão perplexa, tão confusa, que me deu pena dela.

— Tanto faz — eu disse. — O que importa é que nós estamos aqui fora, livres, e que não tem guardas.

As outras mulheres começaram a chegar, esbaforidas, cambaleando um pouco, e nós nos afastamos da guarita para dar espaço para elas. Em seguida estavam todas ali, olhando em volta com espanto, tentando se situar, repetindo, uma depois da outra, que elas nunca tinham visto nada parecido, quase assustadas por estarem num lugar tão estranho. Eu não conseguia entender por que elas não estavam se entregando de forma mais despreocupada à maravilha de estar fora, libertas da jaula, de poder ver o céu, sentir a chuva e o vento. Elas tinham desejado algo durante toda a vida, mas não estavam reconhecendo, no que lhes fora dado, aquilo que esperavam. Talvez, quando a pessoa já teve um dia a dia compreensível, ela nunca consiga se acostumar com a estranheza. Esse é o tipo de coisa que eu, que só conheci o disparate, posso apenas supor.

— Estou com medo — disse Annabelle.

Elas se aproximaram umas das outras, um pequeno grupo estarrecido no meio de uma terra desconhecida. Fora de sua jaula tão familiar, as quarenta mulheres se aglomeraram, desorientadas diante da imensidão imóvel de onde não vinha nenhum sinal.

— E se eles voltarem?

Entendi que elas estavam procurando um sentido para o medo que as dominava. Elas olharam para todos os lados e tudo o que podiam ver era a planície pedregosa onde apenas uma relva minguada se mexia, levemente agitada pelo vento.

— Não dá para ficar aqui, temos que ir embora, nos esconder — continuou Annabelle.

— Mas ir para onde? — murmurou Francine. — Não tem nada. Nem uma construção, nem um abrigo, nem uma estrada, só...

Ela olhou para a pequena edificação por onde tínhamos saído:

— Só essa espécie de guarita, no meio do nada.

— Estamos perdidas — disse uma outra.

Houve uma confusão de frases inacabadas, cada uma tentando completar a fala da outra aos trancos e barrancos. De repente, perdi a paciência.

— Pois então desçam de novo! A jaula continua lá embaixo, se o lado de fora assusta vocês!

— Ah! Você e sua... — disse Annabelle, exasperada.

Ela se calou. Acho que estava pensando em insolência, em rebeldia, mas também se dando conta que eu tinha razão, que aquele pânico não faria bem a elas. Eu também tentei me controlar, pois sentia que uma discussão estava prestes a começar, e isso poderia canalizar a ansiedade delas contra mim. Théa, que continuava calma, me apoiou.

— A pequena tem razão. Precisamos pensar e nos organizar. Não tenho a menor ideia de onde estão os guardas, nem por que eles desapareceram, e isso também me deixa assustada. Nem faz tanto tempo que eles saíram do porão e já não se vê nenhum vestígio deles.

— Onze minutos desde que o barulho começou — eu disse. — Talvez um pouco mais, porque eu me perdi na contagem por alguns momentos. Nós levamos onze minutos para abrir a grade, sair da jaula e subir.

— Onze minutos? Com um helicóptero ou um avião pequeno, é totalmente suficiente para terem saído de vista, acho eu. Mas e nós? Nós não podemos desaparecer assim. Para chegar lá longe, no horizonte, íamos precisar de umas duas ou três horas de caminhada. Se eles têm o plano de voltar e nos prender de novo, nós vamos ser pegas rapidinho.

— Eu não — disse Annabelle. — Eu prefiro morrer, mas não vou voltar lá pra baixo. Podem me drogar o quanto quiserem, que eu me sinto capaz de transformar a dose mais exata de droga num veneno mortal.

— Eu também — disse Germaine. — Eu paro de respirar. Deve ser uma questão de vontade. Eu tenho certeza que dá pra impedir o coração de bater.

Essas palavras as encorajaram e elas começaram a dizer "eu também", "eu também". A revolta estava despertando, dava para ver que, desta vez, elas não seriam pegas de surpresa, como deve ter acontecido no passado, que elas não se submeteriam aos acontecimentos como criaturas apavoradas que se deixam levar para o matadouro porque não são sequer capazes de conceber a existência do matadouro. Elas se recompuseram. Olharam para o cenário estranho em que estávamos, fincaram os pés com força no chão. Apareceram sorrisos.

— Está chovendo — disse Francine.

E ela fez o mesmo que eu havia feito, estendeu as mãos para recolher as gotas e as aproximou dos lábios. Depois passou as mãos nos cabelos, nas bochechas:

— Estou completamente encharcada. Eu não sabia mais como era. Faz tanto tempo...

— Mais de doze anos — disse Germaine. — É só ver como a pequena cresceu.

Elas se viraram para mim, o relógio delas, ficaram me olhando por bastante tempo sem dizer nada, depois se dispersaram um pouco. Elas se abaixavam, tocavam no chão. Várias delas abriram espaço entre as pedras até chegar a uma terra cinza e seca, pois a chuva não a havia impregnado. Annabelle umedeceu o indicador com saliva e o ergueu para pegar vento.

— São nuvens leves. Deve ser perto do meio-dia, dá pra ver que o sol está alto. Se ele gira no sentido usual, o vento está soprando do oeste.

— É claro, porque está chovendo. É sempre com o vento do oeste que chove.

— No seu país pode ser, mas não estamos no seu país.

— Ah, não! Senão teria colinas e florestas!

Isso fez elas rirem. Estavam precisando de alguma descontração.

— Que coisa curiosa, não se vê nenhum pássaro. Será que os pássaros se abrigam quando chove? — perguntou Germaine, que vivera a vida toda na cidade.

— Mas onde é que eles iriam se abrigar? Não se vê uma única árvore. Só o que tem são essas moitas.

— E as pedras — disse Dorothée. — Não daria pra plantar nada aqui. Nunca vi uma terra tão pobre.

— Além do mais, nós não temos nada pra plantar.

Essa frase curta pairou no ar por um momento, como se as mentes estivessem agarrando-a, apalpando-a, e então deixando-a de lado para mais tarde. Mas ela deixou um rastro:

— Temos que fazer a comida — disse Germaine. — Era hora de comer, e eu estou com fome. Engraçado, lá embaixo eu nunca tinha fome.

A comida estava no porão, sobre o carrinho. As mulheres se arrepiaram ao pensar que, se quiséssemos comer, precisaríamos descer.

— E para cozinhar? Não sei como nós vamos fazer para cozinhar!

— Tanto faz, precisamos comer, mesmo que a carne esteja crua.

— Eu não vou lá embaixo. Prefiro morrer de fome — disse Annabelle.

Mais uma vez, elas se reuniram, ombro a ombro, buscando no contato, acho eu, uma forma de se tranquilizarem. Alguém teria que descer e, obviamente, fui eu. Provavelmente por não me lembrar de outro mundo que não o do porão, eu era a que menos tinha medo. Quando elas se agruparam, eu não fui atrás, fiquei de fora, o que fez seus olhares se voltarem para mim. Entendi e sorri para elas:

— É claro — eu disse. — Eu vou.

Não esperei e me dirigi para a guarita de imediato. Elas me acompanharam por alguns passos, como para me dar apoio naquilo que teria deixado elas com tanto medo, o que me animou, pois eu me sentia muito hesitante diante da escada. E se eles voltassem? Elas saberiam como lutar? Por um segundo me passou pela cabeça um massacre horrível, eu me vi voltando apenas para encontrar uma pilha de cadáveres, os guardas debochados me esperando com as armas na mão. Tentei me manter firme, porque não queria ser covarde, e comecei a descida. Desde então, voltei lá para baixo centenas de vezes — e essa é uma das raras coisas que eu não contei —, e todas elas foram desagradáveis, como se eu estivesse adentrando uma armadilha que podia se fechar a qualquer momento. Quando fiquei sozinha, peguei o hábito de prender a porta da guarita com algumas pedras: era algo absurdo, as fechaduras estavam enferrujadas e os trincos não se mexiam, o vento nunca era forte o suficiente para mover aquela pesada folha de ferro, mas assim eu me sentia mais confortável.

Desci aqueles cem degraus o mais rápido que pude, mantendo muita atenção aos meus movimentos, já que eu ainda não tinha descido escadas e estava com medo de cair, depois segui pelo corredor até me deparar com a dificuldade de carregar as panelas grandes, as cenouras e as carnes, assim como a água. Percebi que seriam necessárias várias viagens e que aquilo poderia estar além das minhas forças. Meia hora mais cedo, eu tinha subido sem sentir o menor cansaço, tamanha era a excitação, mas agora eu estava perdendo o fôlego, a cabeça girava e as pernas tremiam. Eu disse a mim mesma que era preciso, de qualquer maneira, fazer uma primeira viagem, e ajeitei os pedaços de carne numa panela. Estava na metade do caminho quando cruzei com Théa, que descia.

— Me dei conta de que você não ia conseguir fazer tudo sozinha.

— É verdade, tem muita coisa. Além do mais, nós só tínhamos pensado nas panelas e nos legumes, mas também vamos precisar de água, para beber e para cozinhar, e das tigelas.

— Além disso, vamos ter que fazer uma fogueira. Lá em cima elas estão juntando algumas pedras e galhos, mas como é que nós vamos acender?

Decidimos que subiríamos com aquilo que eu já havia juntado e que em seguida iríamos explorar as salas.

Mais tarde, refletimos bastante sobre o que encontramos, mas, tanto ali como nos outros lugares, nunca chegamos a uma explicação coerente. Não havia dormitórios para os guardas, nem camas, o que deixou Théa muito surpresa: então eles não dormiam aqui? Eles iam embora todas as noites e voltavam todas as manhãs? Para onde eles iam?

— Eles desapareceram em onze minutos — murmurou Théa — e nós não vimos nenhum vestígio deles. Fico me perguntando se um helicóptero comum pode voar tão rápido.

As gavetas continham vários tipos de ferramentas: martelos, pregos, chaves de fenda, coisas que eu tive que aprender como funcionavam, além de facas e machados, que iriam se tornar bastante úteis para nós. Quatro mochilas grandes encheram os olhos de Théa, que me explicou a utilidade delas, depois mostrei a ela um monte de caixinhas: eram fósforos, que resolviam de forma bastante conveniente a questão do fogo. Mas, acima de tudo, descobrimos grandes reservas de mantimentos. Primeiro foram pilhas de enlatados, que arrancaram gritos de alegria de Théa, que lia os rótulos e listava os nomes dos pratos com um entusiasmo que me fazia rir: chucrute, cassolé, patê e legumes que eu nunca tinha provado. Em seguida, abrimos a porta de uma câmara fria cheia de carnes e aves congeladas, além de sacos de cenoura, de alho-poró, de aipo e de nabo. Não teríamos nenhum problema para sobreviver.

— Não tenho condição de avaliar tudo isso aqui com precisão, mas, mesmo em quarenta, me parece que deve ter comida para muitos anos.

Ela dizia o nome de tudo o que via e a minha cabeça imediatamente ficou a mil com todas aquelas novidades. Acho que ela teria continuado a exploração por horas, mas eu disse que precisávamos nos juntar às outras, que elas estavam esperando por nós. Subimos de volta com carne, enlatados, uma grande quantidade de batatas e fósforos. As mulheres atearam fogo nos galhos amontoados entre pedras grandes.

— Dorothée tinha certeza que vocês iam encontrar fósforos — disse Germaine. — Os homens sempre têm.

Descemos de novo para buscar água. Dessa vez, duas das mulheres mais robustas nos acompanharam.

A chuva tinha parado e as nuvens se dissiparam enquanto a comida cozinhava: o sol apareceu, bem alto no céu, o que significava, disseram elas, que estávamos no meio do dia. Fizemos aquela primeira refeição sentadas em pequenos grupos, que foram se organizando em círculos ao redor do fogo, enquanto no porão cada uma pegava sua tigela e ia para o seu canto. Havia bastante comida, e foi a primeira vez que ficaram sobras nas panelas, o que gerou algumas brincadeiras:

— Nós vamos engordar — disseram.

— Uma dieta rigorosa mantida por tantos anos, e agora vamos perder tudo o que conquistamos!

Só muito mais tarde é que me explicaram por que elas achavam aquilo tão engraçado. Estranhamente, essas mulheres que riam com tanta frequência não tinham feito brincadeiras desde que havíamos saído. Quanto a mim, eu era sempre séria, isso não tinha mudado. Imagino que elas estivessem no limite por conta dos choques sucessivos.

— Que horas são? — Germaine me perguntou.

E eu fiquei completamente surpresa de me ouvir dizer que eram dez da noite. Tinham se passado pouco mais de três horas desde que a sirene havia soado e, àquela altura, nós estávamos acordadas não fazia muito tempo. Logo, era mesmo verdade que não nos faziam seguir o ritmo normal dos dias e das noites.

— Você vai ter que acertar o seu relógio — disse Théa, rindo.

— E como é que eu vou saber por onde começar?

— Vamos observar o pôr do sol esta noite: tome isso como seu ponto de partida, depois nos diga quanto tempo terá passado até o pôr do sol de amanhã. De um pôr do sol a outro dá um dia inteiro, não?

— Não sei — disse Dorothée. — Será que isso não depende da estação?

Elas entraram numa discussão confusa, da qual não entendi nada. Os dias eram mais longos no verão, mais curtos no inverno, mas de um pôr do sol a outro eram sempre, ou não necessariamente, vinte e quatro horas. Nenhuma delas tinha uma ideia muito clara sobre o assunto, mesmo Théa, que era a mais instruída. Parei de escutá-las em seguida. De todo modo, em algum momento a noite ia cair: onde nós iríamos passá-la?

Estava obviamente fora de cogitação ir dormir no porão, e a ideia de ficar nas proximidades da guarita não agradava. Eu tinha seguido com os olhos a progressão do sol, me parecia que ainda haveria várias horas antes da noite. Sugeri que fôssemos buscar cobertores e mantimentos e que depois nos afastássemos. Mas em qual direção? E se os guardas voltassem? Como imaginar de onde eles iriam chegar, já que não havia uma estrada visível? Aliás, como eles tinham ido embora? Théa disse que não havia camas nas salas. As perguntas voltaram a jorrar, mas Dorothée pressentiu a bagunça e trouxe as mulheres de volta à preocupação que lhe parecia essencial: era preciso, caso decidíssemos nos afastar, escolher uma direção, qual seria o nosso critério? Théa apontou para o sul: dava para ver por ali uma leve ondulação no terreno que poderia nos esconder.

Houve ansiedade por um bom tempo a respeito do retorno dos guardas, mas eles nunca retornaram. O medo demorou a deixar as mulheres, e eu não entendia muito bem por que elas não se tranquilizavam mais rápido. Eles tinham ido embora de uma hora para outra, sem deixar nenhum vestígio, como se tivessem evaporado: surgiram do nada e para lá retornaram, e eu ficava menos surpresa com isso do que as outras, que tinham vivido num mundo onde as coisas faziam sentido. Já eu, eu só tinha conhecido o disparate, e acho que isso me tornara profundamente diferente delas, como eu fui aos poucos me dando conta. Nós estávamos livres.

Na verdade, tínhamos apenas mudado de prisão.

Théa e eu fizemos várias idas e vindas para levar para

cima as coisas necessárias. As mulheres ficavam nos esperando nas proximidades da guarita para se encarregarem da carga e nós descíamos de novo imediatamente. Na terceira vez, elas nos retiveram, excitadas e contentes.

— Venham ver! Venham ver! Nós fizemos uma coisa!

A poucos passos do lugar onde tínhamos sentado para comer, havia várias moitas, esparsas mas suficientemente altas. Elas tinham arrancado a parte central delas com as mãos, que ficaram esfoladas, e jogado cobertores sobre as bordas. Nós leváramos duas pás para cima, que elas usaram para cavar um buraco. Eu não estava entendendo.

— São os banheiros — disseram elas, exultantes.

— Somos seres humanos de novo — declarou Dorothée. — Podemos fazer as nossas necessidades afastadas, isoladas, fora da vista.

Eu, que estava acostumada com as privadas do porão, não entendi de imediato o maravilhamento de Théa. Seus olhos estavam cheios de lágrimas. Ela se aproximou da construção improvisada, parou, sorriu e perguntou:

— Tem alguém aí?

Todas riram.

— Não. Está livre. Fique à vontade.

— Por aqui — disse uma das mulheres, levantando um cobertor para mostrar a entrada.

Théa avançou, baixou o cobertor atrás de si e ficou lá por um tempo. Quando ela reapareceu, disse que era a minha vez.

As reclamações das mulheres sobre a obrigação de excretar em público me ensinaram bastante, e eu acabei entendendo a importância daquele acontecimento. Senti que estava sendo convidada a participar da vida de antes, daquele mundo do qual elas falavam entre elas e do qual, agora, eu sabia que elas não tinham o plano de me excluir, embora eu já pressentisse nunca poder entrar nele. Então eu fui até aquele pequeno espaço delimitado pelos cobertores. Elas me olhavam, segurando a respiração, dava para ver que elas estavam me dando um presente de grande valor, e minha falta de entusiasmo me incomodava. Afastei o tecido áspero e rígido, passei, deixei-o cair atrás de mim e fui imediatamente tomada por uma curiosa sensação de estranheza. Meu coração batia alvoroçado, eu sentia uma leve tontura. Olhei por tudo à minha volta: eu só conseguia enxergar os galhos recobertos de espinhos e as dobras dos cobertores acastanhados que se interpunham entre mim e as outras. Fiquei arrepiada. Mas logo entendi: era a primeira vez que eu ficava sozinha, que nenhuma mulher me via e que eu não via nenhuma. Aquilo me perturbava profundamente. Permaneci de pé, os braços caídos ao longo do corpo, contemplando minha situação. Eu estava descobrindo a solidão física, tão banal para a humanidade usual, mas que eu nunca tinha experimentado antes. Tomei gosto por aquilo no mesmo instante.

Felizmente.

Usei o buraco, mas não me sentia nada à vontade, pois era preciso ficar em pé, com as pernas afastadas, o corpo meio arqueado, numa posição esquisita que me pareceu bastante desconfortável. Fiquei feliz por não ser vista numa postura daquelas, apesar de nunca ter sentido vergonha por defecar na frente de todo mundo, sentada tranquilamente no assento da privada. Depois peguei a pá para cobrir meus dejetos, conforme me instruíram, mas fiquei incomodada com a falta de água quando quis me limpar. Torci para não ter me sujado e saí dali do jeito que eu estava. Mais tarde, Théa me ensinou a usar algumas folhas.

Germaine e Francine superaram sua relutância em descer e nos acompanharam diversas vezes enquanto as mulheres faziam as trouxas. Cada uma tinha atado as quatro pontas do seu cobertor para fazer uma espécie de saco que continha latas de conserva, carne e várias outras coisas que considerávamos úteis para levar. Nos pusemos em marcha. Cada uma das três grandes panelas cheias d'água era carregada por duas mulheres e decidimos que elas se revezariam com bastante frequência para não haver risco de que o cansaço as fizesse tropeçar e derrubar tudo. Levamos mais de uma hora para ficarmos prontas. Quando partimos, o sol parecia já ter percorrido a maior parte do seu caminho, nós esperávamos ter tempo para chegar do outro lado de uma pequena ondulação antes da noite.

Théa, eu e as duas mulheres que nos ajudaram estávamos muito cansadas. Tínhamos subido e descido as escadas mais de dez vezes, depois de anos sem percorrer nem dez metros em linha reta e, além disso, pé ante pé, pois os vigias não toleravam nos ver correndo. As outras perceberam isso e se responsabilizaram por uma parte da nossa carga. Quando Dorothée constatou que eu estava cambaleando, pediu que alguém levasse meus apetrechos. Depois, isso nunca mais aconteceu comigo, eu me tornei logo a mais forte, provavelmente por ser a mais nova. Eu fui, de todo modo, aquela que melhor se adaptou, provavelmente porque eu não conhecera outra coisa e nenhuma saudade me corroesse.

Nosso avanço foi logo desacelerando: tínhamos apenas sandálias abertas para usar e caminhávamos sobre pedras que entravam pelas aberturas e machucavam. Nós mancávamos, algumas tentaram andar descalças, mas viram que corriam o risco de se cortar. Foi Laurette quem teve a ideia de rasgar algumas tiras de tecido da parte de baixo do vestido e enrolar nos pés. Num instante, todas nós havíamos seguido o exemplo dela.

No topo da colina, paramos para olhar para trás. Nada se movia naquela vasta paisagem árida. Seguimos caminho, nos voltando com frequência para trás, e, assim que a guarita desapareceu, pensamos em fazer uma pausa, mas Germaine, que tinha uma visão particularmente aguçada, disse que achava que havia água lá embaixo, que lhe parecia estar vendo os reflexos tremulando entre as moitas. Eu vinha caminhando com o nariz colado no chão, num cuidado constante para não me machucar, apesar daquelas meias improvisadas, então ergui a cabeça, mas, mesmo que mais tarde eu percebesse que minha visão era excelente, eu não fazia a menor ideia de como poderia ser um riacho entre arbustos. A perspectiva de um rio deu forças a todo mundo e decidimos seguir em frente. Germaine não estava enganada, e uma meia hora depois nós estávamos largando nossas trouxas, tirando os vestidos e correndo para dentro de uma água fresca e pouco profunda.

Gostei tanto daquele primeiro banho que achei que nunca mais fosse querer sair dali. Fiquei estendida no leito do riacho, meus cabelos flutuavam, eu teria até adormecido ali se, depois de algum tempo, não tivesse sentido frio.

Nossa impressão era que estávamos cansadas demais para ter fome, mas, depois que nos refrescamos e descansamos, acendemos uma fogueira mesmo assim. A lenha queimava rápido, em seguida as brasas se formaram, e as mulheres construíram uma espécie de treliça de arame para colocar a carne em cima e fazê-la grelhar. Pela primeira vez eu provava algo que não tinha sido cozido. Aquilo tinha um gosto delicioso, parecia que eu nunca iria conseguir parar de comer. Na verdade, acho que peguei no sono com a boca cheia!

Acordei no meio da noite. Fui tomada de espanto: estava escuro! Mesmo com os olhos bem arregalados, eu mal conseguia distinguir as minhas mãos. O céu era uma massa escura e um pouco assustadora, como se estivesse prestes a desabar, e levei um bom tempo para entender que ele estava de novo bastante nublado. Me sentia sufocada e tentei me tranquilizar lembrando o que as mulheres algumas vezes me diziam sobre as estrelas, que elas estão tão distantes, as constelações e as galáxias. Mas então me veio um outro desassossego, o sentimento de um vazio infinito, a tontura e o medo de cair em meio àquela estranha escuridão, rodopiando eternamente no nada. Me encolhi toda, como para me proteger, e me dei conta de que estava deitada muito perto de uma outra mulher, que estava encostando nela. Isso me fez dar um pulo, eu tive o reflexo de me afastar por causa do chicote, então lembrei que já não havia guardas. Mesmo assim, o contato com outro corpo não era agradável, e eu recuei devagar. Nunca mais tive aquele impulso que, uma noite, me empurrara para cima de Francine. Tinham estendido um cobertor sobre mim, aquilo me pareceu estranho e comovente.

Fiquei imóvel entre as mulheres, minhas companheiras de vida, que dormiam ao meu redor. Um vento fraco fazia as folhas farfalharem e fiquei ouvindo aquele barulho novo. Eu tinha mudado de mundo, tudo era desconhecido, desde a manhã eu estava aprendendo sem parar. Uma onda de felicidade me invadiu: independente do que acontecesse, eu tinha saído do porão e, assim como as outras, sabia que preferia morrer a voltar para lá. Eu já não conseguia entender como tinha sido capaz de suportar viver lá. E disse a mim mesma que, se elas não tinham morrido com aquilo, era porque a tristeza não matava.

Vi o dia nascer. O céu foi clareando diante de mim, as nuvens se dissiparam, a luz apareceu, primeiro cinza, depois mais e mais dourada à medida que o sol subia. Escutei alguns pássaros cantarem e outros voarem muito alto. Aos poucos, as mulheres acordaram, parecendo surpresas, como se a noite tivesse feito elas esquecerem que haviam saído, então riram e trocaram saudações. Fomos nos lavar no rio e, andando por lá, encontramos, um pouco mais adiante, uma parte funda o suficiente para que pudéssemos nadar. Théa me segurou na água, ela queria me ensinar a dar braçadas, mas eu estava assustada e não conseguia seguir as orientações, acabei arranhando meus joelhos nas pedras. Mesmo assim, consegui ficar boiando e achei deliciosa a sensação de estar sendo levada pela fraca correnteza. Depois comemos o conteúdo de algumas latas de comida. As mulheres fizeram uma fogueira e deram um jeito de acumular bastante brasa, onde colocaram as batatas para cozinhar. Passamos a maior parte daquele primeiro dia assim, comendo por gula, voltando ao rio com frequência para nos banharmos, lagarteando sob o sol ameno. No entanto, o medo dos guardas não desaparecera das nossas cabeças e decidimos que duas ou três de nós ficariam permanentemente no alto da encosta para vigiar a guarita. Quando chegou a minha vez, eu disse que ninguém precisava me acompanhar, eu sentia que seria agradável ficar sozinha.

À noite, as perguntas voltaram a rondar: onde estávamos? O que íamos fazer?

Aquela era a Terra?

Perguntaram quanto tempo havia se passado de um pôr do sol a outro: de acordo com meu relógio, tinham sido pouco mais de vinte e duas horas e meia. Era óbvio que isso não provava nada, já que não se sabia exatamente qual era o ritmo dos meus batimentos. Nenhuma delas sabia de um deserto como aquele, com pedras e um clima tão ameno, mas foram unânimes em admitir que não eram muito viajadas e que, na vida de antes, haviam dado pouquíssima atenção para a geografia. Para elas, bastava conhecer bem os arredores das suas casas e alguns caminhos no entorno das cidades onde moravam. Claro, elas tinham visto filmes, que mostraram lugares que não tinham visitado, mas a Terra era tão grande! Achavam estranho, porém, que só houvesse uma vegetação muito rala: uns bosquezinhos com algumas árvores pequenas que tinham um quê familiar, pareciam azinheiras, buxos, lariços, ai!, elas se lembravam tão mal!, e uma relva rala. Não havia flores silvestres à vista, o que não queria dizer nada, pois poderia não ser a época de floração. Elas estavam chocadas que houvesse tão poucos insetos e não conseguiram tirar muitas conclusões disso. O chão se estendia até o horizonte em ondulações tão compridas que parecia exagerado chamá-las de colinas. Mas como ousar pensar que havíamos saído da Terra?

— Temos que procurar cidades — elas disseram.

E se as cidades pertencessem aos guardas? E se isso nos fizesse cair de novo nas mãos deles? Houve muitas discussões desnecessárias, pois no fim das contas nunca encontramos nenhuma cidade. Não tivemos pressa para seguir caminho: a delícia de estar ao ar livre, de tomar banho no rio e de comer o quanto quiséssemos nos deixava preguiçosas, e vários dias se passaram com discussões esparsas, que eram facilmente interrompidas pela chegada dos prazeres.

Eu não sentia mais a hostilidade furiosa de antigamente, minha raiva tinha se dissipado, eu não ficava mais procurando, com ódio, os defeitos e as tolices das minhas companheiras: me dei conta, porém, que para elas era difícil sustentar por muito tempo uma reflexão ou seguir uma linha de raciocínio até o fim. Théa era a única que conseguia se forçar a isso. As coisas que ela me disse me levam a crer que a instabilidade de pensamento delas vinha do fato de terem sido drogadas por muito tempo. Talvez eu mesma pudesse ter sido um pouco mais inteligente e pensado melhor do que pensei, mais tarde, quando fiquei sozinha: por exemplo, não me ocorreu, depois que encontrei a estrada, percorrê-la nos dois sentidos, só fui pensar nisso nesses últimos dias, agora que já não tenho mais condições de fazê-lo. Além disso, elas eram mulheres com pouca instrução, que, antes daqueles acontecimentos dos quais nada sabíamos, cuidavam das suas casas, criavam seus filhos — ou, caso trabalhassem, era como vendedoras em lojas, garçonetes, caixas, pequenas profissões que me foram sendo explicadas gradualmente. Apenas Théa estudara: depois de ser datilógrafa por alguns anos, ela voltara à escola para se tornar enfermeira e tinha acabado de se formar quando veio o confinamento. Ela tinha esquecido bastante coisa. As outras mulheres não tinham visão das coisas e eram desorganizadas, ficavam presas às rotinas rápido, nunca desenvolveram habilidades além das necessárias. Para a maioria, isso não mudou, pois Dorothée, Théa e eu logo assumimos a responsabilidade pelas nossas vidas.

Eu odiara Dorothée porque ela se arrogava um poder baseado unicamente na sua idade: comecei a respeitá-la quando vi que ela era a primeira a pensar nas coisas importantes. Sempre que as mulheres entravam em discussões que logo perderiam o rumo, Dorothée as interrompia com muito tato e sugeria as decisões necessárias. Percebi que ela tirava sua autoridade de sua sabedoria, mas eu não estava disposta a esperar pelas determinações dela, e sim a fazer como ela e pensar à frente. Depois de alguns dias, constatamos que as provisões tinham caído pela metade.

— Temos que buscar mais comida — ela disse — e fazer uma lista de tudo que tem lá embaixo. Depois disso, vamos decidir se ficamos por aqui ou se vamos embora.

Na cabeça dela, esse "nós" ainda significava apenas Théa e ela, mas eu sabia que logo estaria incluída nele.

Cerca de quinze mulheres nos acompanharam, Théa e eu. Elas não iriam descer, mas nos ajudariam a carregar o que trouxéssemos. Tinha também a questão de alguém ficar de guarda, o que me parecia desnecessário. Comentei com Théa.

— Você deve estar certa — ela me disse. — Mas eu também vou ficar mais tranquila se tiver alguém ali em cima. Nunca se sabe. Ninguém tem a mínima ideia dos motivos que fizeram eles irem embora, nem como eles fizeram isso. Não dá para ter certeza de que eles não vão voltar.

Fazia todo o sentido. Não é possível pensar à frente num universo onde não se conhecem as regras.

Então nós refizemos o caminho que levava até a guarita e, à medida que avançávamos, fomos ficando em silêncio. Eu nunca fora alguém de muita conversa, mas estava acostumada a viver em meio a um falatório, e tudo o que se ouvia era o rumor das pedras estalando sob nossos pés.

— Se a gente vai querer se movimentar, vai precisar de calçados melhores — disse Théa. — Essas sandálias não vão durar dois dias de caminhada.

Na afobação de sair, ninguém tinha parado para examinar os aposentos que havíamos atravessado, mas eu tinha a impressão de ter visto botas parecidas com aquelas que os guardas usavam.

— Mas é que nós somos quarenta! — disse Germaine.

— Quando a gente anda descalça, os pés vão ficando cascudos, talvez a gente tenha que...

Mas ela não terminou a frase e ninguém foi adiante nas especulações de costume. Estávamos chegando mais perto, um certo desassossego nos deixava caladas. Diminuímos o ritmo involuntariamente.

— Não mudou nada — disse Annabelle quando chegamos na guarita.

O vento soprava suave. Se ficássemos quietas e não nos mexêssemos, ele estaria cantando sempre a mesma nota para nós. Naquele dia, as nuvens tinham voltado, o céu estava alto e branco. Vi que minhas companheiras estavam tremendo.

— Vamos lá — eu disse.

Estávamos vindo do ar livre, e eu tive que recuar, enojada: no segundo terço da descida, o cheiro me atingira em cheio. Théa me explicou:

— É o nosso próprio cheiro que ficou lá. Você não está mais acostumada. O sistema de ventilação garante um ar respirável, mas nada mais do que isso.

E então escutei: era o mesmo zumbido abafado que me acompanhara toda a vida e percebi que, desde que estávamos fora, eu tinha ficado vagamente perturbada pela ausência dele.

— E a luz continua acesa — eu disse. — Que estranho. Não deveria tudo ter se apagado, parado?

— E como é que a gente vai saber o que é normal neste mundo aqui? É uma coisa boa, pelo menos! Nós não tínhamos pensado nisso.

As lâmpadas nunca se apagaram.

Nenhuma de nós queria entrar na grande sala onde ficava a jaula. Mas nos forçamos a isso, antes de qualquer outra coisa, para que aquela obrigação não tirasse o prazer de explorar. Os últimos traços de apreensão se dissiparam quando vimos que tudo estava exatamente do mesmo jeito que havíamos deixado quando saímos. Pretendíamos levar os colchões, pois estávamos dormindo direto no chão, nivelado com uma pá, e brincávamos com o fato de termos perdido o único conforto que o porão tinha a oferecer.

— Vai ficar muito pesado — eu falei. — E não sei como a gente vai fazer para carregar, se seguirmos viagem.

Podemos levá-los para cima, mas eles só vão ser úteis se a gente decidir ficar.

— O que não faz sentido. Temos que procurar a civilização.

— Qual?

Théa olhou para mim.

— O que você está querendo dizer?

Encolhi os ombros.

— É mais do que óbvio. Este planeta é deles, então quem a gente iria encontrar, senão aqueles que ordenaram a nossa prisão? Eu não tenho a mínima vontade.

— Você acha que não estamos na Terra.

Ela não estava perguntando, estava afirmando. Eu não estava totalmente convencida do que dissera. E nunca mais estive.

Depois fomos para a sala à direita, a que era mobiliada com uma mesa e algumas cadeiras. Ao longo de uma parede, estavam alinhados seis roupeiros altos e estreitos, que Théa me disse se chamarem armários e serem sempre colocados à disposição das pessoas nos locais de trabalho para que elas guardassem seus pertences. Estavam abertos. Em cada um deles encontramos dois pares de botas, eu não lembrava que era ali que as tinha visto. Théa pegou as botas e colocou em cima da mesa. Havia também duas camisas, duas cuecas e duas calças.

— Essas coisas podem ser bem úteis. Mas não tem pra todo mundo.

Numa gaveta havia linha e agulhas, além de outros objetos que eu não sabia identificar.

— Tesouras, botões e fechos: tudo que é necessário para consertar os uniformes deles — disse Théa.

E era tudo, o que a deixou perplexa.

— Nem fotos, nem cartas, nem qualquer objeto pessoal,

se bem que eles não moravam aqui. Eles provavelmente deixavam isso em outro lugar. Foram embora tão rápido que nem tiveram tempo de recolher as coisas deles.

Ela parou de repente, franzindo as sobrancelhas.

— O que houve?

— Mas se eles não moravam aqui, por que as camisas e as botas?

Ela encolheu os ombros.

Passamos para o outro lado e atravessamos o compartimento onde ficavam armazenadas as latas de conserva para chegar na câmara fria. Théa deu uma paradinha para olhar o termômetro que havia na porta.

— Menos cinquenta! Eles queriam uma conservação de longuíssima duração. Talvez não reabastecessem com tanta frequência.

Pegamos rápido aquilo que estávamos precisando. Fiquei com muito frio, uma sensação que me era desconhecida e que me pareceu dolorosa. Ao ver que eu estava tiritando, Théa foi buscar um cobertor e me enrolou nele.

— Tem que cuidar pra não ficar doente. Não sei como é que eu ia cuidar de você, ainda não encontrei nada parecido com remédio por aqui. Mas eles nos davam! Senta aí e descansa, eu vou esquentar um pouco d'água.

No outro aposento, tínhamos visto um fogareiro e uma panela muitíssimo menor do que aquelas que usávamos. Théa procurou alguma coisa para dar sabor à bebida que ela estava preparando para mim e ficou espantada de encontrar só umas folhas secas de chá no fundo de um saquinho. Esse novo sabor não me agradou muito, mas bebi, obediente, e aquilo me aqueceu.

Em seguida, voltamos para a primeira sala. Théa começou a procurar café ou mais alguma caixa de chá, mas não encontrou nada. Eu não tinha muito como ajudar, já que não sabia ler, e os rótulos não me diziam coisa nenhuma. Havia uma quantidade enorme de ferramentas, nesse quesito nunca nos faltou nada, exceto compreender por que elas estavam armazenadas lá. Já mencionei os pregos e os martelos, mas também havia serras, plainas, todos os tipos de alicate, picaretas, pás e diversos abridores de latas. Théa ainda me mostrou vários outros objetos cujos nomes e funções eu não consegui reter, já que nunca tive ocasião para usá-los.

Pegamos as serras e as pás. Encontramos uma grande reserva de cobertores parecidos com aqueles que nos deram, porém novos. Provavelmente estivessem sendo guardados para quando fosse necessário.

— No ritmo que essas coisas estragam, tem o suficiente para uns duzentos anos! — disse Théa.

Nós os usamos para embrulhar as coisas que levaríamos para cima.

— A gente não vai conseguir carregar tudo isso, é muita coisa. E estamos fracas por causa de todos esses anos sem fazer praticamente nada.

Os cem degraus já eram algo bastante assustador, de que jeito então subir com um fardo daqueles?

— A gente pode usar o carrinho — eu disse. — Se a gente conseguir subir com ele.

Ele era largo e pesado. Como a escada era em linha reta, não haveria nenhum risco de que ele ficasse entalado, porém o peso nos deixava em dúvida.

— Vamos tentar.

Depois de dez degraus, estávamos sem fôlego. Precisávamos erguê-lo completamente para não danificar as rodinhas, senão ele perderia toda a utilidade.

— Se Germaine, que é corajosa e forte, concordar em vir nos ajudar, vamos conseguir.

Gritamos, pois suspeitávamos que as mulheres estivessem nos esperando perto da entrada. Germaine se juntou a nós sem se fazer de rogada. Subimos devagar, fazendo diversas paradas para que não ficássemos exaustas. Quando Francine e Annabelle viram o quanto estávamos cansadas, elas superaram a repulsa e desceram para pegar os embrulhos que havíamos preparado. Pegamos apenas o que necessitávamos de carne para dois dias, já que bastava virmos de novo para nos reabastecer, e deixamos de lado os colchões, que eram muito pesados. Fechei cuidadosamente a porta da câmara fria e, no último instante, decidi pegar uma cadeira para Dorothée.

O retorno foi muito lento. Tínhamos que desobstruir o caminho para conseguir avançar com o carrinho e, de repente, nos vimos abrindo uma estradinha. Annabelle foi na frente para chamar algumas mulheres para ajudar.

— Mas com essa estrada — disse uma delas — eles vão saber onde nós estamos!

Théa e Germaine encolheram os ombros. Pouco a pouco, todas as que tomavam coragem para descer foram tendo a mesma certeza de que eles nunca mais iriam voltar. Havia algo de tão definitivo, uma tal ausência de vestígios naquelas salas abandonadas, que era impossível imaginar que alguém chegasse e dissesse: "Isto aqui é meu".

Rápido organizamos um trabalho em equipe: algumas mulheres iam na frente e retiravam as pedras, as outras as seguiam, varrendo o chão com uma pá. Ao menor obstáculo, parávamos o carrinho para desobstruir. Como ele estava muito carregado, precisávamos de várias de nós para recolocá-lo em movimento. Quando chegamos, as fogueiras estavam acesas e a carne grelhada aguardava por nós. Dorothée comeu sentada na sua cadeira, nós nos reunimos em volta dela.

— Temos que ir embora — ela disse. — Não devemos nos estabelecer aqui e ficar vivendo como parasitas do porão. Temos que continuar sendo seres humanos. Eu quero saber onde nós estamos, quem nos prendeu e por quê. E não quero morrer sentada numa cadeira, no meio de não sei onde.

Curiosamente, ela tinha acabado de descrever seu destino.

— Temos cobertores e bastante linha: vamos fazer mochilas, e cada uma vai carregar o que conseguir. Vamos para o norte ou para o sul, pouco importa, já que não sabemos onde fica o que estamos procurando.

— Nem se vamos ficar felizes de encontrar — sussurrou Théa.

— Germaine, Théa e a pequena vão voltar para o porão e pegar algumas latas. Vamos ter que calcular o peso do que a gente come cada dia e ver se uma mulher consegue carregar dois meses de comida. E vamos caminhar. Nós vamos ganhar resistência e, depois de um tempo, vamos conseguir fazer de vinte a vinte e cinco quilômetros por dia, o que vai dar entre mil e mil e quinhentos quilômetros: até lá vamos ter encontrado alguma coisa. Ou então...

Ela estremeceu. Houve um breve silêncio, quebrado por Théa:

— Se levarmos dois meses de provisões, só vamos poder caminhar por um mês: temos que pensar na volta.

O silêncio continuou. Ninguém queria acreditar que não fôssemos encontrar nada: mas, à noite, não se via nenhuma luz. Antigamente, havia vestígios de existência humana, estradas, aviões, até mesmo nos desertos. Aquela planície vazia e aquele céu silencioso davam a sensação de terra desabitada.

— Vamos partir daqui a dois dias. Amanhã vamos costurar as mochilas.

Naquela noite, o céu limpou. Depois do pôr do sol, quando veio a noite profunda, fiquei um longo tempo observando as estrelas. Théa, deitada de costas, continuava imóvel, de olhos abertos.

— Está sem sono?

— Estou me perguntando se é realmente o céu da Terra. Não consigo encontrar a Ursa Maior. Era a única constelação que eu conseguia reconhecer. No outro hemisfério, dava para ver o Cruzeiro do Sul, mas não sei como ele era ou onde encontrá-lo.

No dia seguinte, estivemos muito ocupadas. Fizemos diversas viagens até o porão para buscar provisões, separamos as ferramentas, as pás e as panelas em quarenta montinhos. Dez mulheres costuraram as mochilas do jeito mais firme que conseguiram. Queríamos levar o carrinho, mas ele diminuiria terrivelmente nosso ritmo. Pensando bem, não consigo entender por que naquele momento parecia tão óbvio que precisávamos mantê-lo conosco: é como se nós todas tivéssemos pressentido o que nos esperava e estivéssemos determinadas a negá-lo. Théa queria guardar principalmente as rodas e me explicou umas coisas complicadas a respeito da origem de todas as técnicas. De tanto que o analisou, ela descobriu uma forma de desmontá-lo. Cada uma de nós ficou com uma parte. Levaríamos a cadeira também.

Por causa de Dorothée e das outras velhas, Élise e Marguerite, nossa caminhada foi bastante lenta. Precisávamos parar de hora em hora para que elas descansassem e, quando havia uma subida, por mais suave que fosse, elas nunca conseguiam chegar no topo de uma só vez. Eu corria na frente, impaciente para saber o que havia do outro lado, e em seguida decepcionada, pois era apenas a planície, uma pequena depressão e a próxima subida. As mulheres me olhavam quando eu voltava, esperando que eu tivesse visto casas, uma estrada, uma placa, e eu balançava negativamente a cabeça. Atravessamos três grandes ondulações de terreno, e o sol já ia descendo quando vimos de novo um riacho, ainda menor que o anterior. Decidimos parar por ali. Montamos logo nosso acampamento: a fogueira de pedras, um buraco no meio de uma moita como latrina e três cobertores para isolá-la. A refeição foi bastante silenciosa, a decepção já caminhava ao nosso lado.

— Era de se esperar — disse Théa. — Construíram o porão longe de tudo, ele provavelmente tinha que permanecer secreto.

As mulheres se agarraram a essa ideia de imediato. Elas não queriam ficar tristes e logo deram um jeito de iniciar novas discussões sobre o velho tema do confinamento. Depois de algum tempo, até as risadas reapareceram. Quando o sol se pôs, Rosette começou a cantar.

Fiquei pasma. Eu nunca tinha ouvido música antes, mal tinha ideia de que aquilo existia. "Olhem como o céu está lindo!", disse Annabelle, e todas se viraram na direção do poente. Houve umas poucas exclamações que logo cessaram, diante do esplendor inesperado das cores. Eu não as conhecia, nunca tinha visto aquelas gradações de rosa, de lilás, eu só tinha visto o cinza do porão: grandes massas de roxo iam se tornando violeta, algumas nuvens pareciam verdes e eram atravessadas por raios de uma luz dourada. Aquilo tinha me tirado o fôlego e eu estava prestes a fazer umas perguntas para Théa quando a voz de Rosette soou, clara e forte, quebrando o silêncio. Fui tomada por uma espécie de vibração, como se fosse um eco distante do arrebatamento, mas que continuou e fez meus olhos se encherem de lágrimas. Ela cantou por bastante tempo, as outras mulheres a acompanhavam baixinho, o sol desapareceu numa espécie de longa e suave ovação e o crepúsculo caiu sobre a planície.

Mais tarde, enquanto eu dormia, senti que uns braços me levantavam: era Théa me enrolando num cobertor. Dessa vez não recuei involuntariamente, com medo dos guardas e do chicote, mas não voltei a pegar no sono. Eu sentia um mal-estar indefinido. Fiquei distraída com as estrelas, que eram fascinantes. Observei-as por um bom tempo, elas pareciam imóveis e, no entanto, se moviam, de um jeito tão lento que eu não conseguia acompanhar sua trajetória. O canto de Rosette ainda estava vibrando na minha cabeça.

Depois de um tempo, fui ao banheiro. No caminho de volta, notei que algumas mulheres estavam deitadas em duplas, afastadas do grupo, enroscadas sob o mesmo cobertor. Aquilo me pareceu estranho. Quando tive a oportunidade de me abrir com Théa, ela encolheu os ombros e me disse que elas estavam dando uma à outra aquilo que podiam. Não insisti mais, pois senti que ela estava constrangida.

Caminhamos por vinte e seis dias e, todas as noites, havia um momento de tristeza, seguido do canto de Rosette. Nunca era o mesmo. No início, ela cantava melodias que aprendera antigamente, depois começou a inventar, e acabou desenvolvendo um talento que ela mesma desconhecia. No vigésimo sétimo dia, na parada para o almoço, eu fiz como de costume, segui andando na frente enquanto as mulheres preparavam a comida e, pela primeira vez, vi algo: no meio da longa encosta que iríamos descer depois da refeição, erguia-se uma pequena edificação quadrada, tão parecida com a guarita que havíamos deixado para trás que, a princípio, pensei que tivéssemos andado em círculo. Mas a configuração da paisagem não era a mesma, aquela guarita não estava no centro da planície e não era voltada para o sul, como a nossa, a porta aberta estava de frente para mim.

Eu já tinha saído em disparada quando me dei conta que devia comunicar as outras. Então voltei, comecei a gesticular descontroladamente, e elas abandonaram as fogueiras e as panelas para ir até mim. Eu estava me forçando a esperar por elas. Eu também tinha me tornado uma boa companheira.

Elas vieram correndo, mesmo Dorothée, por pior que fosse seu fôlego, tinha pressa. Théa e eu a ajudamos ao longo de toda a descida, eu estava feliz que aquela tarefa me ajudasse a conter minha impaciência. Ficamos agrupadas por algum tempo diante da porta entreaberta, totalmente atônitas, assustadas: e se houvesse guardas? Dei um passo, puxei a porta na minha direção. As dobradiças já estavam enferrujadas e resistiram, eu fiz um pouco mais de força e elas cederam, rangendo. Dava para ver o início da escada, a luz estava acesa. Vinha um cheiro desagradável. Entrei, sendo imediatamente seguida por Théa e Dorothée, e começamos a descer. Permanecemos em silêncio, como se um pressentimento do que íamos encontrar tivesse começado a pesar sobre nós.

O cheiro se intensificou muito rápido, nós não estávamos nem na metade da escada e já era sufocante. As mulheres mais corajosas estavam logo atrás de nós, deu para ouvir as exclamações delas. Dorothée parou, rasgou um pedaço da barra do vestido e fez uma espécie de máscara, cobrindo seu nariz. Todo mundo seguiu o exemplo dela: o cheiro pouco diminuiu, mas nos sentíamos mais protegidas dele. Seguimos nossa descida, respirando o mais devagar possível, fazendo pausas para evitar ficarmos ofegantes. Uma após a outra, as mulheres foram se calando, já não se ouvia nada além do som fraco dos nossos passos sobre os degraus. Chegamos lá embaixo. As grandes folhas de madeira estavam abertas, como no nosso próprio porão no dia da sirene. Entrei pela porta dupla e parei de repente, petrificada de horror.

Apesar da meia-luz da noite, eu conseguia enxergar a jaula: estava apinhada de mulheres mortas. Tive a impressão de que havia mulheres por toda parte, atravessadas sobre os colchões, jogadas umas sobre as outras, agarradas nas grades, amontoadas, espalhadas numa desordem assustadora. Algumas estavam nuas, outras com os vestidos em farrapos, todas estavam em poses terríveis, atormentadas, as bocas e os olhos abertos, os punhos cerrados como se tivessem lutado e matado umas às outras no delírio do qual a morte as libertara.

Aqui, o alarme soara no meio da noite artificial, o portão estava fechado e os guardas não tinham, obviamente!, se preocupado em abri-lo. Elas tentaram. Tinham morrido de tristeza muito antes que a fome as matasse. Por quantos dias, gastando suas últimas forças, sem comida, enraivecidas e desesperadas, lutando contra as grades, tentando abrir a fechadura sem chaves e sem ferramentas, com os dedos ensanguentados, doentes, por quantos dias teriam elas continuado a querer realizar o impossível, enlouquecendo, indo dormir exaustas e depois se levantando para enfrentar o aço com as próprias mãos: elas tinham gritado, chorado, afundado no torpor, recuperado algumas vezes o juízo para contemplar seu destino e rejeitá-lo com fúria, e agora elas fediam, elas inchavam, esverdeadas pela decomposição, entregues aos vermes que pululavam nas suas carnes devastadas, uma imagem monstruosa daquilo que, por um incrível acaso, não tinha acontecido conosco.

Nossas companheiras se juntaram a nós, as primeiras em passos rápidos, depois cada vez mais devagar. Théa, Dorothée e eu fomos sendo pouco a pouco empurradas e nos vimos alinhadas contra as paredes do porão, o mais longe que podíamos da jaula, quarenta mulheres vivas observando quarenta mulheres mortas. Permanecemos assim por bastante tempo, num pavor que nos paralisava, então Dorothée se ajoelhou e eu escutei sua fala baixinha:

— Santa Maria, mãe de Deus, rogai por nós, pecadores...

Mais tarde ela nos contou que tinha desenterrado aquilo da sua primeira infância, quando a avó lhe ensinara as orações cristãs sem que seus pais soubessem.

As outras mulheres também se ajoelharam e ecoaram suas palavras, como se, diante do horror, os antigos ritos recuperassem seu significado. O zumbido abafado das palavras pronunciadas desordenadamente pairou sobre a terrível confusão dos corpos, então a voz de Rosette se sobressaiu. Ela cantou e imediatamente seu potente soprano foi se espalhando em toda sua amplitude, eu não entendia o que ela dizia, mas o tom era tão lento, triste e profundo que a abominação se transformou em dor e eu senti meu coração apertar. Quando ela se calou, nós ficamos em silêncio, depois saímos sem fazer barulho, uma a uma, e subimos muito lentamente.

À noite, Théa me explicou que Rosette tinha cantado a oração pelos mortos, em latim, uma língua extinta fazia tanto tempo que só era usada em cerimônias. Eu não entendia, e ainda não consegui entender bem o que é uma cerimônia, mas se estas páginas que eu vou deixar escritas encontrarem um leitor, ele saberá.

Naquele dia, não voltamos a andar. De volta ao acampamento, ninguém conseguiu comer e nós ficamos sentadas por várias horas sem falar. Só quando a noite chegou é que fomos pegar um pouco de comida e começamos a conversar de novo. Então nós não tínhamos sido as únicas prisioneiras. Havia um outro porão, idêntico ao nosso. Essas duas evidências eram devastadoras. Não tínhamos entendido nada daquilo que nos acontecera: às vezes parecia que nossa descoberta ia nos dar uma luz, às vezes ela deixava tudo ainda mais opaco. Hoje posso afirmar que nós simplesmente tínhamos mergulhado ainda mais fundo no disparate.

Eu disse que elas eram quarenta: nós de imediato ficáramos com a impressão de que elas eram tantas quanto nós, mas ninguém as havia contado. Fiz isso no dia seguinte, para descobrir que eram apenas trinta e nove, mas havia quarenta colchões. Provavelmente uma tivesse morrido antes do dia do alerta e o cadáver tivesse sido retirado. Mais tarde, quando falávamos delas, continuamos a dizer quarenta, pois elas eram nossas semelhantes, nossos duplos mais infelizes do que nós, e, nas nossas mentes, o número delas era igual ao nosso. Fui verificar se o molho de chaves não tinha sido abandonado, nós queríamos abrir a jaula e tirar as mortas para enterrá-las na planície, mas não encontrei nada. Tentamos forçar o portão com as ferramentas que tínhamos, mas, seja porque ele tivesse sido construído de um modo tão firme, seja porque nenhuma de nós soubesse como lidar com aquilo, não conseguimos. Por fim, Théa e eu fechamos a porta principal e essa foi toda a cerimônia que conseguimos oferecer a elas. Queríamos ter feito uma sepultura e lacrá-la, ou deixado uma mensagem dizendo que, atrás daquela porta de madeira, jaziam quarenta mulheres mortas por sabe-se lá que causa demente, mas não tínhamos nada para escrever e a madeira era dura demais para que gravássemos algo.

Fizemos uma verificação do que havia nas duas salas, como tínhamos feito no outro porão, e encontramos as mesmas coisas, inclusive as botas, que vinham em boa hora, pois o estado das sandálias estava piorando. Tivemos novamente carne fresca e pudemos reabastecer nosso estoque de conservas.

Depois de três dias, nos pusemos de novo em marcha. Uma espécie de inércia havia dominado minhas companheiras. Elas falavam pouco, as noites eram silenciosas, exceto quando o canto de Rosette soava e as outras a acompanhavam. Acho que elas não queriam ficar pensando muito, para não ter que se deparar com o inevitável e para não cair em desespero. Elas tinham pensado em encontrar cidades, civilização: para mim, parecia normal nunca encontrar nada além das guaritas, e acho que elas estavam pressentindo isso. O universo do qual elas falavam me era desconhecido, eu não conseguia imaginá-lo, e quando, depois de uma longa encosta, eu via apenas uma nova ondulação, não ficava surpresa, já que não tinha nenhuma imagem clara de outra coisa. Mas o humor sombrio delas deve ter me dominado, pois acontecia de eu não ter vontade de correr na frente, e foi Germaine quem viu a terceira guarita. Aumentamos quase nada nosso ritmo, a apreensão nos impedia e, enquanto descíamos, não mantivemos por muito tempo a esperança de que o portão estivesse aberto, que as ocupantes pudessem ter escapado e que nós as encontraríamos, um dia, na planície: o cheiro estava lá.

Esperávamos encontrar mulheres: eram homens. Eles também tinham tentado escapar. Tentaram tirar uma das pias, arrancar as peças da tubulação e usá-las como instrumentos que os ajudassem a lutar contra a fechadura. Tudo havia resistido: os canos estavam retorcidos, mas não quebrados, a porcelana dos sanitários pendia torta, mas não tinham conseguido destruí-la. Os corpos jaziam em todas as direções, estavam nas mesmas condições que os das trinta e nove mulheres. A ventilação seguia funcionando, aos poucos o cheiro se dissiparia e os cadáveres continuariam ali, mumificados ou reduzidos ao esqueleto, alguns nus, outros vestidos com trapos, camisas rasgadas ou calças feitas com o mesmo tecido leve dos nossos vestidos, caídos aqui e ali, de qualquer jeito, sem dignidade, testemunhas trágicas do incompreensível. Rosette, em lágrimas, se recusou a descer e não cantou a música dos mortos. Pegamos nas despensas tudo o que nos poderia ser útil e partimos imediatamente, caminhando pelo máximo de tempo que pudemos para não fazermos nossa parada perto de uma vala comum.

Nós continuamos por meses e, dali em diante, era de vala comum em vala comum. Tínhamos perdido a esperança de chegar em cidades, tínhamos mudado nossas expectativas: esperávamos encontrar, um dia, a grade de uma jaula aberta. Decidimos até deixar vestígios da nossa passagem para fazer com que os outros soubessem, se houvesse outros. Na frente da porta de cada guarita, limpamos o chão para desenhar, com pedras, uma cruz bem grande. Théa me explicou que aquele era o símbolo da cristandade, à qual nossos antepassados haviam pertencido, e que, em épocas muito antigas, servira de emblema para os perseguidos. Ninguém mais temia que os vigias reaparecessem, não sabíamos o que havia sucedido a eles, mas tínhamos certeza de que já não estavam lá. Fizemos também uma seta indicando a direção em que pretendíamos seguir.

— Mas e se houver outros e eles fizerem o mesmo que nós? A cruz, a seta, são coisas tão simples que eles bem poderiam querer usar os mesmos símbolos, já que eles também só teriam pedras para escrever! Precisamos de uma assinatura — disse Dorothée. — Senão, nós mesmas podemos encontrar as nossas marcas e não nos reconhecer.

Elas não sabiam o que escolher. No mundo de antes, assinava-se com o próprio nome, mas quarenta nomes riscados na poeira? Trinta e nove, na verdade, porque nunca se soube o meu, só me chamavam de pequena. O que escolher? Um círculo? Um triângulo? Duas linhas paralelas? Por fim, Théa sugeriu uma cruz com um círculo em cima.

— Isso vai indicar que nós somos mulheres. O que mais precisa?

— Pode ser que tenha outras mulheres — disse Germaine. — Vamos pôr mais alguma coisa, e como a gente não sabe nada, nem onde a gente está, nem por quê, nem para onde a gente vai, vamos pôr um ponto de interrogação.

Isso nos tomava, a cada vez, um dia inteiro. Várias de nós voltamos até o porão onde estavam os homens e desenhamos bem grande nossos símbolos no chão. Nosso porão e o primeiro de mulheres mortas não foram marcados, mas muitos outros foram: não todos, pois eu não continuei a inscrever a assinatura na poeira quando fiquei sozinha. Eu já não acreditava que alguém vivo pudesse surgir.

Caminhamos por dois anos, em pequenas etapas, depois decidimos parar: Dorothée estava perdendo as forças. Ela sentira que estava enfraquecendo, mas não quisera tocar no assunto, e nós podíamos notar que ela andava cada vez mais devagar. Uma manhã, quando quis se levantar, ela cambaleou, e imediatamente ficou óbvio que ela não conseguia se manter em pé. Théa encostou o ouvido em seu peito: o coração estava batendo muito fraco. Ficou decidido que esperaríamos até ela melhorar, mas depois de dois dias ela ficou nervosa:

— Não adianta nada esperar — ela disse. — Eu sou velha, devo ter mais de setenta e cinco anos, meu coração não vai ficar mais forte. Temos que continuar.

Graças às ferramentas que mantivéramos sempre conosco, conseguimos construir uma espécie de maca: derrubamos duas árvores bem retas, podamos os troncos e, com tiras de tecido firmemente entrelaçadas, prendemos a cadeira. Dorothée sentou. Como ela estava muito fraca e sentia frio o tempo todo, nós a enrolamos em cobertores, depois a amarramos no encosto e a carregamos em quatro, tomando todo o cuidado de manter um ritmo uniforme para não sacudi-la. Mas isso durou apenas alguns dias: mesmo desse jeito ela ficava muito cansada, e logo começaram as dores por ficar sentada. Pregamos galhos atravessados nas duas estacas de madeira para carregá-la deitada. Ela agradeceu muito, disse que já se sentia melhor, porém era visível que estava com falta de ar e, enquanto andávamos, ela mantinha os olhos quase todo o tempo fechados. No início ela dormia e o menor incidente a despertava, depois nos demos conta que ela não reagia mais quando parávamos para mudar as carregadoras. Théa dizia que ela tinha entrado num coma leve. Algumas mulheres queriam que nós parássemos, mas Dorothée acordava para nos proibir:

— Se vocês pararem, eu vou ficar pensando que talvez meia hora depois nós teríamos encontrado alguma coisa e vou morrer mal-humorada. Eu quero seguir em frente até o meu último suspiro.

E, de fato, foi assim que Dorothée descansou, suavemente balançada pelas mulheres, enquanto Théa caminhava ao seu lado e segurava sua mão. Depois de algum tempo, ela não sentiu mais seu pulso. Eu vi as lágrimas escorrendo pelo seu rosto.

— Acabou — ela disse.

As outras nos alcançaram e nós andamos lado a lado até o pôr do sol, trinta e nove mulheres e uma morta, uma longa linha irregular que riscava a planície, uma procissão silenciosa através do impossível, apoderando-se a contragosto do vazio, acompanhando a mulher teimosa que tinha decidido perder a vida sem fazer uma parada.

Nós a enterramos durante a noite. Caía uma chuva fina. O canto de morte de Rosette se espalhou demoradamente sobre a planície.

Permanecemos vários dias junto ao túmulo, como se não quiséssemos deixá-la sozinha e como se já não soubéssemos mais por que andar. Acho que nenhuma de nós ainda acreditava naquelas cidades que nos trariam a salvação, ou num porão que estivesse com as grades abertas. Quase todas as noites, Théa observava o céu enquanto se perguntava onde estávamos. Ela dizia que, na Terra, nós teríamos notado a passagem das estações: ao longo dos meses, nossos dias mal tinham ficado mais curtos, e o clima minimamente mais fresco. Teria havido tempestades, neve ou calorões muito fortes, não aquele tempo sempre igual, aquelas chuvas esparsas e aquela vegetação minguada. Por que seguir adiante? Nós não vamos saber melhor onde estamos, ela dizia, vamos estar sempre perto de um porão e vamos morrer uma depois da outra.

A partir daquele momento, tive plena consciência de que um dia eu seria a última.

Mas, se não sabíamos para onde ir, tampouco tínhamos um motivo melhor para ficar, e seguimos em frente. Até então, caminháramos para o sul: decidimos que iríamos mudar a direção. Havia sempre guaritas, porões e mortos. Quando Marie-Jeanne ficou doente, decidiu-se que para-ríamos. "Até que ela esteja curada", dissemos, mas sabíamos muito bem que seria até sua morte.

Eu mal conhecera Marie-Jeanne, uma mulher bastante apagada que seguia sem reclamar e nunca fazia nada diferente. Ela ia buscar lenha na hora de fazer fogo, carregava seu fardo sem perder o fôlego, não era a última nem a primeira quando caminhávamos, nada nela chamava a atenção: imagino que seja isso o que se define como alguém de temperamento fácil. Ela era uma daquelas que não dormiam sozinhas, nós a víamos com frequência junto de Emma, a primeira a ter imaginado que este planeta não era a Terra. É claro que formávamos um grupo pequeno demais para que não nos conhecêssemos, porém vínculos mais estreitos definiam grupinhos menores: eu não fazia parte do de Marie-Jeanne, e sim de um com Théa, Germaine e Francine, fazia parte daquele que, em resumo, se constituíra em torno de Dorothée e tomava as decisões. Talvez fosse isso o que elas chamavam de vínculos de amizade, mas, de todo modo, a doença nos uniu em torno da mesma preocupação.

Marie-Jeanne tinha dores na barriga. Um dia, ela teve uma grande perda de sangue, embora pensasse estar na menopausa há bastante tempo, e logo as dores começaram. À noite, ela dormia pouco, os espasmos de dor vinham durante o sono e o susto arrancava dela um grito forte que nos fazia saltar na sua direção. Ela rapidamente se controlava e nós a ouvíamos grunhir, cobrindo a boca com as mãos, o suor nas têmporas. Ficávamos de pé ao seu lado, incapazes de ajudar e desesperadas. No começo, ela mandava voltarmos para a cama, dizia que aquilo não servia de nada, mas nenhuma de nós conseguia obedecer e ela acabou aceitando nossa presença. Emma enxugava cuidadosamente sua testa com um pano úmido, Théa punha sobre sua barriga uma compressa quente, o que Marie-Jeanne dizia ser um alívio. A crise passava lentamente e ela caía no sono, exausta de tanta dor. Então deitávamos no chão, em volta dela, e deixávamos que o sono voltasse a nos encontrar. Certa manhã, ao acordarmos, vimos que ela não estava mais entre nós.

Tínhamos parado bem perto de uma guarita para que pudéssemos nos abastecer com facilidade. Ficamos atordoadas, olhando umas para as outras, procurando por ela entre nós, quando me veio a ideia de ir olhar no porão. Ela estava lá. Tinha rasgado seu cobertor em várias tiras e unido elas, e então se enforcado junto às grades, ao lado de quarenta cadáveres de homens. Decidimos deixá-la lá: simplesmente cortamos a corda e a colocamos deitada no chão, enrolada com cuidado num outro cobertor, o mais novo que tínhamos, com as mãos cruzadas sobre aquela barriga que tanto lhe fizera sofrer, e, pela única vez, Rosette concordou em descer e cantar num porão. Depois fechamos a porta, como fazíamos sempre. Desenhamos nossos símbolos no chão e seguimos caminho.

Dessa vez, porém, era para encontrar um lugar para nos estabelecermos. Tudo se deu como se aquelas duas mortes nos tivessem persuadido de que não havia nada para encontrar neste planeta que talvez não fosse a Terra. Procurávamos um rio não muito distante de um porão, que iria suprir as nossas necessidades: assim era o local que estávamos deixando, mas, é claro, não queríamos nos instalar tão perto de onde uma de nós tivera que se matar para parar de sofrer. A morte de Dorothée trouxera tristeza àquelas que a amavam: ela era velha e tudo tinha corrido de um modo muito suave. A morte de Marie-Jeanne foi um choque, era assustadora. As mulheres mais velhas não queriam falar sobre aquilo. Deve ter sido por isso que fomos embora muito rápido.

Depois de algumas semanas, encontramos o que estávamos procurando: o rio era bem largo, no meio do leito a água chegava até as coxas, e as margens eram generosamente arborizadas. Decidimos construir casas com pedras grandes e uma espécie de argamassa feita de terra e água. Para os telhados, usaríamos troncos de árvores serradas. Tínhamos reparado que, em determinados lugares, onde a corrente era mais fraca, achava-se uma erva aquática que, quando seca e trançada, virava uma boa corda, com a qual amarramos feixes de galhos numa camada espessa para produzir o que chamamos de colmo, sem termos muita certeza se era aquilo mesmo que a palavra designava. Depois nos demos conta que essas mesmas ervas, misturadas na argamassa, a deixavam mais sólida. Fomos bastante modestas: a primeira casa tinha quatro metros de lado. Ela ficou pronta em dois meses e nós achamos muito agradável nos refugiarmos nela quando chovia. Obviamente, não cabíamos todas lá ao mesmo tempo, mas aquelas que ficavam do lado de fora, sempre bem agrupadas para se manterem aquecidas, como fazíamos desde que tínhamos saído, sabiam que, na próxima chuva, seria a vez delas. A segunda casa nos tomou menos tempo. Decidimos que ela seria retangular. As árvores eram pequenas e nós não encontrávamos uma trave que fosse capaz de sustentar o telhado em todo o seu comprimento, mas conseguimos cruzar os troncos tão bem, apoiando em colunas de pedras, que toda a estrutura se manteve firme. E também sabíamos perfeitamente que nunca havia ventos muito fortes.

Talvez ela ainda esteja de pé.

Carregamos para cima as cadeiras e as mesas do porão vizinho e, acompanhada por quatro das mulheres mais corpulentas, fui buscar móveis nos outros. Também pegamos os colchões. Com frequência, havia alguns bem próximos das grades, bastava puxá-los. Nunca tirávamos aqueles que não conseguíamos mover sem perturbar os mortos. O cheiro foi se dissipando e, depois de algum tempo arejando, os colchões ficaram perfeitamente utilizáveis. Às vezes, fazíamos algum achado: um pedaço de tecido, um suprimento de linha ou uma sacola cheia de sandálias que veio bem a calhar, porque, embora cada uma de nós tivesse um bom par de botas graças às pilhagens dos porões, quando parávamos de caminhar preferíamos um calçado que não fosse fechado. O carrinho tinha sido abandonado, pois sabíamos que havia um em cada porão e que havia muitos porões, mas buscamos um novo, depois de tê-lo desmontado, e ele nos foi muito útil para transportar os materiais de construção de um lugar para outro. Construímos, ao todo, cinco casas, e a primeira virou a cozinha. Instalamos ali uma chaminé, porque tínhamos conseguido montar uma espécie de fogão: amassamos a marteladas as latas de conserva vazias, depois dobramos as bordas com alicates para encaixá-las umas nas outras e martelamos de novo, formando uma grande chapa, que colocamos sobre colunas de pedras. Fazíamos o fogo na parte de baixo, de modo que uma única fonte de calor aquecesse várias panelas. Acabei me tornando especialista em serrar e fui capaz de fazer tábuas para construir prateleiras e termos onde guardar nossas provisões, assim como bancos.

Eu tinha tomado gosto por construir, e teria continuado a fazê-lo com prazer, mas as mulheres não estavam dispostas: depois de terem vivido em quarenta numa jaula, davam-se por contentes de estarem em nove ou dez numa casa. Elas falavam dos confortos que tinham conhecido, tais como água corrente e banheiras: eram coisas perdidas, e era preciso esquecê-las. Tenho a impressão de que elas se adaptavam melhor do que eu à nossa vida sedentária. Às vezes, eu subia uma colina e observava a planície. Eu tinha vontade de seguir em frente e ficava bastante inquieta. Então eu inventava alguma coisa para fazer, uma mesa adicional, um banco, e a mais acertada delas foi um dispositivo móvel feito de tábuas, que possibilitou ficarmos sentadas no banheiro. Juntei troncos de árvores cortados ao meio, no sentido do comprimento, para formar divisórias móveis que pudessem ser deslocadas com facilidade, o que acabava com a necessidade das moitas e dos cobertores. Foi um trabalho longo e complicado, no qual eu não aceitei a ajuda de ninguém, o que teria abreviado meu prazer. Quando não encontrava nada para construir, eu dizia que as serras estavam gastas, que faltavam pregos ou alicates, e convencia uma ou outra a me acompanhar numa expedição de algumas semanas. Quando voltávamos, eu tinha uma ideia nova que iria me ocupar por algum tempo, mas sempre envolvia objetos a construir, e nós tínhamos tão poucas necessidades que, depois de algum tempo, não me ocorreu mais nada. Os anos iam passando de forma bastante monótona, quando uma conversa casual com Théa despertou meu desejo de aprender.

Éramos apenas trinta e oito, distribuídas nas quatro acomodações de acordo com nossas afinidades. Tínhamos construído aquilo que Théa chamava de beliches, para que os colchões não ocupassem todo o espaço. Eu morava com Théa, Germaine, Rosette, Annabelle, Marguerite, uma das mulheres mais velhas, além de Denise, Laurette e Francine. Tínhamos todas um temperamento tranquilo, éramos realistas e pouco dispostas a brigas. As afinidades tinham formado grupos que ficaram ainda mais definidos quando nos dividimos nas casas, o que eu compreendia bem, já que não teria desejado estar muito perto de Colette, sempre agitada, ou de Marie, uma mulher taciturna e de difícil contato. Eu continuava perplexa com os casais. Víamos discussões violentas, com gritaria e choro, e eu ficava me perguntando sobre o que poderia provocar tanto drama. Eu guardara da primeira parte da minha vida o horror de questionar, mas Théa percebeu minha incompreensão e me explicou o que as mulheres podiam fazer juntas. Aquilo me pareceu estranho, pois eu odiava que me tocassem, o que ela atribuía à lembrança do chicote.

— Mas então — eu disse a Théa — para que serviam os homens?

Ela ficou bastante surpresa com minha ignorância.

— Como é que eu vou saber se ninguém me explicar? Eu vi homens mortos nos porões, alguns deles estavam nus e eu reparei que eles não são feitos como nós. Imagino que isso tenha a ver com o amor. Antes vocês falavam sobre isso, mas já não falam há bastante tempo, e eu não sei mais nada sobre esse assunto.

Então ela repetiu aquilo que eu tinha ouvido tantas vezes:

— E pra que serve saber isso? Não tem mais homens.

Explodi de raiva, eu não era mais uma menininha entre as mulheres: independentemente da idade que eu tivesse no começo, com os sete anos que estávamos fora, eu tinha com certeza mais de vinte. Eu fazia parte das que refletiam, que organizavam a vida em comunidade, tinha desenvolvido habilidades, sabia serrar, pregar, costurar e trançar, e não queria mais ser tratada como criança.

— Saber serve pra saber! Às vezes a gente pode fazer alguma coisa com o que sabe, mas isso não é o mais importante. Eu quero saber tudo o que existe pra saber, por nada, por prazer, e agora eu exijo que você me ensine tudo o que sabe, mesmo que eu nunca vá usar pra nada. Aliás, não esqueça que sou a mais nova, é provável que um dia eu seja a última, e aí talvez eu precise saber coisas por motivos que hoje eu ainda não tenho a mínima ideia.

Então ela me explicou tudo, os homens, o pênis, a ereção, o sêmen e as crianças. Isso levou um bom tempo, porque tinha tanto a aprender que era preciso repetir algumas coisas, eu esquecia os detalhes. Minha memória era muito boa, mas Théa dizia que nem a melhor memória do mundo consegue guardar tudo de uma só vez. Ela também me explicou meu próprio corpo. Como eu não menstruava, eu não sabia que tinha uma vagina. Ela ficou desconcertada.

— Mas você nunca percebeu nada, sentiu alguma coisa, nem quando está se lavando?

Depois ela supôs que, por minha vida ter começado do jeito que começou, o tempo todo em público, eu não tinha desenvolvido nenhuma intimidade comigo mesma. Claro, eu tinha me ensaboado com cuidado, do ânus até a vulva, como as mulheres haviam me dito para fazer depois de cada excreção, mas essas manobras higiênicas não me fizeram entender que aquelas partes do corpo tinham qualidades específicas. Não comentei com ela sobre o arrebatamento, que há muito tempo, aliás, já não passava pela minha cabeça, e só muito mais tarde é que fui perceber a relação entre aquele breve bem-estar e os prazeres que o amor provoca.

Nossas conversas eram um bocado desordenadas, já que minha ignorância muitas vezes deixava Théa tão surpresa que ela acabava se perdendo nas explicações. Comecei a ter uma ideia do meu interior. Às vezes ela limpava um pouco o chão e fazia uns desenhos na poeira. Ela me explicou o estômago, o intestino, e depois o coração, os vasos e a circulação do sangue. Tudo aquilo me interessava e eu perguntava mais do que ela sabia.

— Quando eu estudei para ser enfermeira, aprendi muitas coisas que acabei esquecendo, porque nunca precisei usar depois das provas, e também acho que tantos anos sendo drogada me fizeram esquecer o pouco que me restava. Dorothée provavelmente morreu de insuficiência cardíaca. Enquanto acontecia, eu ficava tentando lembrar: a fraqueza do coração afeta a circulação do sangue, os rins, os pulmões, tudo isso é de uma lógica simples que, antigamente, tinha me parecido muito bonita, mas eu não conseguia pensar com clareza.

— E para que isso teria servido?

— Para nada, você tem razão, já que eu não tinha nenhum remédio. Tentei lembrar sabendo que não servia para nada, só pela necessidade de saber. Como você.

Eu conseguia sentir meu intestino, havia os borborigmos, as flatulências e, com regularidade, os excrementos. Meus órgãos genitais estavam imersos no silêncio. Por curiosidade, me ocorria, quando eu ia me banhar no rio, de procurar minha vagina: eu mal conseguia enfiar a ponta do dedo nela, por causa do hímen, que a fechava como uma porta fecha um corredor. Eu a imaginava comprida e estreita, vedada nas duas pontas como os corredores dos porões: na entrada, aquela barreira que apenas um homem pode quebrar com seu sexo, depois o colo do útero, que apenas um bebê pronto para nascer pode atravessar para sair da grande sala interna. Eu imaginava paredes vermelho-escuras, flexíveis e lisas, e, lá no fundo, as entradas mais distantes, os minúsculos orifícios das tubas uterinas, que, no meu corpo, nenhum óvulo tinha atravessado. Depois, havia as grandes folhagens franjadas das trompas que envolviam os ovários, onde deveria ter ocorrido o trabalho essencial, a maturação lenta e regular do óvulo. Mas eles eram estéreis, talvez endurecidos, ressecados, neste mundo onde eles não tinham nenhum propósito. Meu cérebro sabia que não havia homens, ele ordenava que minha hipófise não se preocupasse com as gônadas, ela tinha bastante a fazer com o fígado, o baço, o pâncreas, a glândula tireoide, a medula óssea e todas as outras tarefas indispensáveis à minha sobrevivência. Era inútil que se dedicasse a um trabalho que não iria servir para nada. Ela não tinha levado nenhum dos meus óvulos à maturidade. Mal havia feito meus seios incharem de leve e deixado alguns pelos crescerem no meu púbis e já havia desistido, evitando, quando eu estava desnutrida no porão, uma perda de sangue que precisaria ser renovado, e havia decidido que, sem esperma disponível, não era necessário que os óvulos fossem liberados e iniciassem a migração para o útero. Meu endométrio era fino. Eu nunca tinha visto um campo arado, porque não tínhamos sementes: nós não tínhamos nada para plantar, e meu útero nunca teria que se dilatar para abrigar um bebê, então não teria nenhuma importância que ele encolhesse ou enrijecesse.

Ao me falar sobre casais, Théa também me explicara que havia maneiras de fazer aquilo sozinha e, durante as minhas explorações do meu corpo, procurei descobrir o que eu podia tirar dele. Fiz meus dedos percorrerem longamente as regiões específicas que deveriam provocar prazer: minhas mucosas sentiam meus dedos e meus dedos sentiam minhas mucosas, mas as coisas paravam por aí. Não fiquei surpresa, pois eu sempre suspeitara que não era como as outras.

Quando nos estabelecemos por completo naquilo que passamos a chamar de vilarejo, às vezes me vinham o descontentamento e a impaciência. Eu queria continuar procurando, embora, é claro, eu nem soubesse o quê, e tive que fazer um esforço para segurar minha ansiedade. Théa tinha me transmitido tudo o que sabia: nas conversas com ela, fui aos poucos percebendo que várias vezes eu cometia erros de linguagem, que ela corrigia automaticamente. Ela me explicou o que era a gramática e eu fiquei muito contente de encontrar ali uma coisa nova para aprender.

— Mas nenhuma de nós tem condições de ensinar isso para você! — ela me disse. — Não aconteceu o acaso de termos uma professora de primário entre nós.

— Mas quando você me corrige, você se baseia em quê?

Ela refletiu.

— No costume. E em memórias vagas, nas regras que eu já soube e que eu teria muita dificuldade em relembrar.

— Você não pode me dizer uma? Qualquer uma?

Eu a observei se concentrar, como antigamente, na primeira vez em que tentou fazer de novo um cálculo de cabeça. Ela sorriu para mim:

— No caso do pronome relativo *que*, quando ele funcionar como sujeito, o verbo concorda com a expressão que vem antes dele.

— Oh! E o que é um pronome relativo? E um verbo? E concordar?

Eu não conhecia nenhum desses termos porque, é óbvio, eu não tinha aprendido a falar de maneira sistemática, mas reproduzido maquinalmente o que escutava. Théa começou a dar explicações um tanto confusas, chamou Marguerite para socorrê-la, em seguida Hélène, que antigamente tentara me ensinar a tabuada junto com Isabelle, e logo estavam várias delas juntas, conversando com empolgação e reunindo suas escassas lembranças. A ideia de retomar minha educação incompleta não as desagradava, e elas descobriram que poderiam até se beneficiar com aquilo. "Por que não se esforçar para falar melhor?", elas disseram. Rosette podia cantar e, desse modo, nos proporcionar prazeres preciosos, mas todo mundo podia conversar e tirar daí alguma diversão. Fui uma aluna dedicada. Para as outras, foi uma espécie de jogo que as entreteve durante um tempo: nós não tínhamos muitas opções de entretenimento, então nunca dizíamos não para as que surgiam.

A ideia de cultivar os poucos prazeres aos quais podíamos ter acesso foi ganhando terreno. Assim, diversas mulheres retomaram o gosto pela coqueteria e, como nós agora tínhamos tesouras e pentes — Germaine encontrara dois nos porões —, passamos a cuidar dos nossos penteados. Dobramos pedaços de arame para fazer grampos de cabelo, e Alice, que tinha sido cabeleireira, fez coques naquelas que queriam manter os cabelos compridos. Mas isso acabou não durando muito, já que os pentes perderam os dentes e não encontramos outros para substituí-los.

Nós também jogávamos damas: a ideia tinha vindo de Augusta, que me pedira para serrar tábuas e juntá-las. Em seguida, ela desenhou as casas com restos de lenha queimada. Depois, tivemos que cortar umas rodelinhas de madeira e escurecer a metade. Elas me ensinaram as regras, mas nunca me tornei uma boa jogadora, porque eu não conseguia entender qual era a graça de ganhar uma partida.

— Mas é pelo prazer de ter sido a melhor, de ter raciocinado direitinho! — me dizia Théa.

Embora eu compreendesse o prazer de raciocinar, me parecia absurdo se esforçar tanto para, no fim das contas, colocar os peões de volta numa caixa vazia ou organizá-los de novo no tabuleiro e recomeçar.

Não encontramos muito mais coisas para fazer. Até teríamos nos interessado mais pelos nossos vestidos, mas o tecido e a linha continuavam escassos. Nossa vida corria com tranquilidade, porque, com o tempo, as brigas entre as amantes foram se atenuando. O envelhecimento das mulheres de mais idade se acentuou e elas esqueceram o pouco de paixão que as unira. A morte reapareceu bruscamente: uma manhã, Bernadette não acordou. Como Marie-Jeanne, ela tinha sido uma pessoa discreta, e assim permaneceu até aquele fim abrupto, que veio completamente do nada. Depois Marguerite foi ficando muito debilitada, foi perdendo a memória, não nos reconhecia mais e não conseguia se levantar. Ela recusava qualquer alimento que não fosse líquido e foi acometida de incontinência. Eu construí, seguindo as instruções de Théa, o que ela chamou de estrado, e nós fizemos um buraco no colchão, cobrindo-o com folhas que eram trocadas regularmente, mas, mesmo assim, nossa casa, onde ela passava seus últimos dias, cheirava muito mal. Elizabeth, que tinha sido sua amante no início da nossa errância, veio morar conosco, como se seu afeto tivesse sido reavivado pelo sofrimento de Marguerite. Isso durou dois meses, depois houve uma piora repentina, Marguerite ficou agitada, à noite ela tinha pesadelos que a deixavam aos gritos. Então ela achava forças para se levantar e corria para fora, ou era tomada por uma fúria terrível: e foi assim que ela morreu, berrando maldições. De repente, enquanto lutava contra as mulheres que queriam ajudá-la, ela congelou olhando imóvel para Elizabeth, esticou o braço para frente como se fosse dar uma pancada nela e foi atravessada por um espasmo. Ela se ergueu completamente e disse com muita clareza:

— Não. Nem pensar!

E caiu fulminada.

Escolhemos, para enterrar primeiro Bernadette, depois Marguerite, uma clareira no meio do bosque. Fizemos para cada uma delas um pequeno monumento de pedras empilhadas e uma cruz de madeira, onde inscrevemos seus nomes. As mulheres gravavam os nomes do jeito que dava, usando facas velhas e depois passando restos de lenha queimada nas letras. O segundo túmulo foi cavado bem ao lado do primeiro, e as mulheres chamaram aquele lugar de cemitério. Rosette cantou. Uma grande tristeza pairou sobre o vilarejo.

A morte havia começado seu trabalho. Para quem ela dirigiria os olhos da próxima vez? Uma melancolia surda pairou, acho que elas estavam se perguntando por que se desdobrar tanto para garantir a vida cotidiana, naquela terra estranha onde só o túmulo as esperava, mas elas não falavam sobre isso. O tempo das conversas infinitas sobre absolutamente nada tinha passado, elas iam para lá e para cá em silêncio, lentamente, como se atoladas no irremediável. Mas os dias passaram, depois os meses, e a sensação de drama iminente se dissipou. Eu me dei conta disso no dia em que Élise, que agora era a mais velha, disse a todas com uma risada:

— Eu vou ser a próxima, e olhem como ainda estou firme!

Ela voltava do bosque com uma braçada pesada de folhas para o fogo e, de fato, sequer ficava ofegante.

Então nós voltamos a fazer planos. Na câmara fria, a provisão de carne ainda era significativa, mas Hélène e Isabelle tinham calculado que, em trinta e seis, ela não duraria mais do que cinco anos. Eu me abstive de dizer, e provavelmente não fui a única, que nosso número iria seguir diminuindo. Não tínhamos como nos reabastecer em outro porão, o mais próximo estava a dez dias de caminhada, e a carne iria apodrecer antes que estivéssemos de volta. O projeto de emigrar entrou em discussão e a ideia de construir um outro vilarejo me encantou. Eu tinha adorado construir, me pus a imaginar novos arranjos e até fiquei bastante entusiasmada, me dispondo a acrescentar novas casas ao vilarejo, para aquelas que quisessem viver com mais privacidade. Mas também porque eu tinha me tornado hábil e, exceto por alguma prateleira de tempos em tempos, praticamente não tinha oportunidade de usar essa habilidade. Minha sugestão foi bem recebida, várias das mulheres que viviam como casais disseram que de fato ficariam felizes em morar na própria casa. Mas a preocupação mais urgente era com as roupas: nossos vestidos estavam caindo aos pedaços. Na verdade, o clima teria nos permitido ficar nuas, pelo menos durante a estação mais quente, mas as mulheres não queriam. Os anos de confinamento e promiscuidade sob o olhar dos guardas tinham feito do pudor um luxo ao qual nenhuma delas queria renunciar. Além disso, nós íamos ficar sem sabão em breve. Ficou decidido que faríamos uma expedição para o oeste, uma direção que ainda não tínhamos tomado. Iríamos em quatro, Denise, Francine, Germaine e eu, porque éramos as mais jovens e as mais fortes. Théa provavelmente tinha a mesma idade das três mulheres que iriam me acompanhar, mas ela era a enfermeira, a única que conseguia entender as doenças e talvez, apesar da falta de remédios, pensar em algum tratamento, de modo que parecia sensato que ela ficasse no vilarejo. Tínhamos que procurar tecido, sandálias, sabão e sal, além de encontrar um outro lugar, caso decidíssemos emigrar. As que ficaram prometeram cortar árvores e colocá-las para secar, para que estivessem prontas quando voltássemos.

Foi uma expedição agradável. Marcávamos nosso caminho fazendo flechas bem grandes com pedras, para que não nos perdêssemos naquela paisagem monótona. Íamos de cume em cume para enxergar melhor à nossa volta. Tivemos que esperar pelo nono porão até encontrar tecido, mas já no segundo tínhamos conseguido um saco de café. Era algo que eu nunca tinha experimentado e que não me pareceu muito bom. Sem me juntar a elas, fiquei olhando minhas companheiras gritarem de felicidade e imaginarem, entusiasmadas, a alegria das outras quando chegassem com um butim tão incrível. Conseguimos todo sal e sabão que queríamos, mas nem uma mísera sandália, o que nos entristeceu, até que Denise gritou que deveríamos ter pensado naquilo há anos, que nós tínhamos que usar o couro dos canos das botas para fazer sandálias.

— Vejam como a gente nem sabe se virar direito! — disse Germaine, aborrecida.

— Nós viemos de um mundo onde isso não era preciso, nós já encontrávamos as coisas prontas e nunca nos perguntávamos como elas eram feitas — respondeu Francine.

Elas não gostavam mais, como antes, de falar do passado e não teriam dito mais nada, mas o caminho era longo, a oportunidade era boa e, como Théa tinha me ensinado sobre várias coisas, eu estava menos relutante em questionar.

— Me contem — eu disse a elas. — Como era? Como vocês viviam?

Elas resistiram por um momento, depois cederam. No começo, falavam para mim, mas logo deu para ver que elas nunca tinham compartilhado suas histórias e que estavam gostando da ideia. Francine tinha sido casada e tido dois filhos, Paul e Marie. No momento da catástrofe, havia um terceiro em questão e, por conta daquele borrão terrível nas lembranças, ela não sabia se estava grávida e tinha perdido o filho ou se ele ainda não passava de um projeto. O marido dela se chamava Lucien, ela o conhecera aos vinte e três anos, logo depois de uma decepção amorosa da qual ela achava que nunca iria se recuperar. Enquanto contava, ela ficava repetindo:

— Mas isso tudo é tão banal, é a história de todo mundo!

Como se ela não tivesse percebido que, para mim, nada era banal, já que nada tinha acontecido comigo.

— A pequena tem razão. Nada é banal — dizia Denise — quando é com a gente que as coisas estão acontecendo. Eu não tive filhos, mas queria ter tido, e sempre sentia inveja das mulheres que tinham.

Quando todas as vidas foram destruídas, ela estava no seu segundo divórcio, porque, conforme disse, sempre escolhia seus homens tão mal que nunca chegava a ser feliz com eles. Germaine não compreendia por que ela continuou se casando. Ela própria nunca fora casada, tendo vivido por vários anos com o mesmo amante, que a fizera muito feliz. Aquilo chocou Denise. E assim elas se viram numa discussão sobre o casamento ser algo bom ou não, no meio daquele deserto onde não havia nenhum homem para casar, para trair ou para abandonar, e, quando se deram conta, caíram na gargalhada. Até eu consegui perceber o absurdo da coisa e ri junto com elas. Sim! E quando penso sobre isso, me dou conta de que eu ri com muito mais frequência do que achava! Logo depois, porém, elas choraram e eu já não era mais capaz de compreendê-las. Depois elas tiveram pena de mim, porque eu não iria conhecer o amor, e era como nas vezes em que elas falavam do chocolate ou da maravilha de tomar um banho quente: eu acreditava nelas sem conseguir imaginar direito do que se tratava.

Germaine tivera um filho daquele homem com quem nunca tinha casado, mas, fora os nomes, ninguém jamais quis falar sobre as crianças. Quanto a isso, minhas perguntas não derrubaram as barreiras. Mais tarde, Théa tentou me explicar a relutância delas:

— Não tem como você entender, e eu mesma, como não tive filhos, provavelmente não entenda totalmente, mas pense no que pode ter acontecido com os filhos delas! Cresceram sozinhos, perdidos entre os adultos, salvos por acaso, como você foi, por estranhos que não tinham condições de tomar conta deles adequadamente? Ou foram mortos? Ou enfurnados em quarenta num porão, vivendo como bichos, morrendo por falta de cuidado? Elas não querem pensar nos filhos. Provavelmente estejam todos mortos, não tem como esperar nada diferente. Se Francine estava grávida, ela deve ter tido um aborto espontâneo. Você nunca viu uma criança, não sabe o que isso representa, a fragilidade delas, a confiança delas, o amor que você sente por elas, a preocupação, estar pronta para dar a própria vida, querer morrer para salvá-las, e o quanto é intolerável imaginar a dor de uma criança.

É verdade que eu não sei nada de todas essas coisas e que eu não tenho nenhuma lembrança da minha própria infância. Deve ser por isso que sou tão diferente das outras. Devem ter me faltado algumas das experiências que tornam alguém realmente um ser humano.

Não me recordo bem das histórias que me contaram, provavelmente porque muitas coisas eram desconhecidas para mim e não despertavam imagens na minha mente. Assim, elas diziam: "Nós fomos dançar". Mas o que era dançar? Elas explicavam, se juntavam em pares, frente a frente, Denise colocava a mão esquerda na cintura de Francine e segurava a mão direita dela no ar, depois elas saíam girando. Sim, mas e a música? O som de um acordeão, de um violino? Elas cantavam valsas, um, dois, três, um, dois, três, e eu, que contava fazia tanto tempo as batidas do meu coração, consegui entender a repetição do ritmo, mas nunca fui capaz de imaginar o som que a orquestra fazia, nem aqueles rapazes sorridentes que tinham feito elas sonharem, nem aqueles vestidos de musselina ou de seda que esvoaçavam em volta delas e as deixavam tão lindas. Elas falavam sobre voltar para casa ao amanhecer, de pais furiosos repreendendo, de beijos, de amantes rejeitados, de homens que elas desejavam, mas que não se interessavam por elas, e tudo se embaralhava na minha cabeça. Pouco a pouco, fui parando de pedir que me falassem do mundo delas e desistindo de tentar imaginá-lo. Sei muito bem que vim de lá. Tive um pai e uma mãe, que provavelmente saíram para dançar, que se casaram, ou se separaram, que foram arrancados um do outro pela catástrofe, como Francine e Lucien. Talvez uma das mulheres que eu vi mortas nos porões fosse minha mãe, e meu pai descanse mumificado junto a uma grade: entre eles e eu, tudo se quebrou, não há continuidade, e o mundo do qual eu descendo é totalmente estranho para mim. Não escutei sua música, não vi sua pintura, não li seus livros, a não ser os quatro que encontrei no refúgio e nem entendi muito bem: eu só conheço a planície pedregosa, a errância e a lenta perda da esperança, eu sou o rebento estéril de uma raça da qual nada sei, nem mesmo se ela já desapareceu. Pode ser que, em algum lugar, a humanidade esteja brilhando sob as estrelas, sem saber que uma filha do seu sangue termina seus dias no silêncio. Não há nada que possamos fazer.

Acho que esses pensamentos deveriam me fazer chorar. As lágrimas nunca vêm, a não ser quando penso em Théa, uma mulher que eu conheci. Não sou capaz de lamentar aquilo que não conheci.

Todas as noites nós fazíamos uma grande pilha de madeira morta e ateávamos fogo. Tostávamos salsichas cobertas de mostarda, tínhamos encontrado alguns potes, e comíamos com bolinhos de farinha assados na brasa. Estávamos calmas e cansadas e acho que, por alguns momentos, a nostalgia das minhas companheiras amenizava e elas desfrutavam do grande silêncio da planície, do farfalhar contínuo da relva. Não tínhamos pressa para dormir, ficávamos escutando o vento que, suave, assobiava sempre a mesma nota. Além do soprano poderoso de Rosette, foi a única música que escutei.

Às vezes me acontecia, ao voltar para junto do grupo sentado ao redor da fogueira, de ser tomada por uma grande emoção: as chamas tremeluzindo na noite, as silhuetas das mulheres descansando, o entrelaçamento leve das palavras ou a voz fina de Denise, que carregava através da planície os lamentos de um outro tempo, tudo aquilo me tocava, eu entendia o que Théa chamava de beleza, da qual, parece, o mundo delas tinha sido tão pródigo.

Depois de quatro meses, tomamos o rumo de casa. Tínhamos andado num círculo amplo, por isso levamos apenas um mês para voltar ao vilarejo. Estávamos um pouco apreensivas, mas não tinha havido mortes. A madeira prometida para as novas construções estava pronta e nós colocamos a mão na massa. Eu gostei bastante daquilo. Tínhamos encontrado dois lugares excelentes para nos estabelecermos, caso decidíssemos deixar nosso assentamento atual, mas isso era pouco provável, pois dava para ver que as mulheres estavam felizes nas suas novas casas e que elas só concordariam em sair quando a câmara fria estivesse praticamente vazia. No entanto, quando as casas ficaram prontas, eu fiz uma rápida expedição com Théa até o lugar mais próximo: o rio era bastante largo, repleto de ervas aquáticas, com um fundo de argila que ela me disse que talvez pudesse servir para fabricar tijolos. E havia um bosquezinho, essencial para nossas construções.

— Não sei se você reparou que já não temos mais tantas árvores — ela disse. — Elas não crescem rápido, e a gente pode ficar sem madeira antes mesmo de ficar sem carne.

Pouco depois do nosso retorno, Augusta anunciou que não se sentia bem. Ela tinha crises de vertigem, lapsos de memória e uma sensação de exaustão que o repouso não conseguia atenuar. Ela não achava que tivesse mais de sessenta, sessenta e cinco anos, mas não era de uma família de gente muito longeva, ela nos disse, e desejava que, se necessário, nós não a deixássemos sofrer, nem se degradar, como tinha acontecido com Marguerite.

— E o que você quer que a gente faça?! — exclamou Théa. — Eu entendi bem o que você está pedindo e, se eu tivesse seringas e remédios, te prometeria tudo o que você quisesse. Mas aqui?

— As facas estão aí — disse Augusta. — Você sabe onde cravar para acertar o coração.

Não chegou a ser necessário. Ela logo entrou em coma e morreu em três dias, mas a ideia ficou martelando na cabeça de Théa. Ela pensava em Marie-Jeanne, que tinha ido se enforcar no porão.

— Você vê, isso me volta com frequência e me consome. Ela fugiu sozinha no meio da noite e talvez estivesse berrando de dor enquanto trançava a corda. É como se eu tivesse abandonado ela. Augusta estava certa: eu sei onde fica o coração e como enfiar uma faca para fazê-lo parar. Acho que se alguém começar a sofrer como Marie-Jeanne, é meu dever fazer o que for necessário, e eu estou com medo de ser covarde demais para isso.

— Você vai me ensinar — eu disse. — Eu vou conseguir. Eu não sou como vocês.

No décimo terceiro ano depois da saída, decidimos nos mudar, pois quase não tínhamos mais carne. Houvera outras mortes e já éramos apenas trinta e duas, mas tudo tinha acontecido de um jeito ou tão rápido, ou tão calmo, que eu ainda não tinha precisado cumprir minha promessa. Com as poucas árvores que ainda restavam e as rodas dos carrinhos, construímos umas carroças improvisadas, que usamos para transportar as mesas e as cadeiras. Fomos para um local a três semanas de caminhada do primeiro vilarejo e construímos dez casas: a primeira era a maior possível, as outras eram menores, já que abrigariam apenas algumas mulheres. Foi um trabalho enorme que, obviamente, nos proporcionou bastante prazer. Tínhamos nos tornado boas carpinteiras e nossos telhados estavam cada vez mais bonitos. Conseguimos até fabricar ótimos tijolos com a terra que pegávamos no fundo do rio, e nossas paredes, embora nem sempre ficassem muito retas, se mantinham de pé. Tentamos cultivar jardins na frente das portas juntando algumas das poucas plantas silvestres que davam flores, mas elas sempre morriam, por mais cuidadosamente regadas que fossem.

Germaine, Théa, Francine e eu morávamos na mesma casa. A maioria das mulheres vivia como casal, exceto Denise, Annabelle e Laurette, que tinham se estabelecido em trio, mas nós cozinhávamos e fazíamos as refeições todas juntas, em torno das mesas dispostas num grande quadrado. Terminada a construção do vilarejo, o que levou um bom ano, começamos a nos sentir ameaçadas pela falta do que fazer. Algumas mulheres tinham adorado trabalhar com madeira, e eu fiz expedições para buscar outras espécies ou troncos mais grossos para elas. Às vezes eu encontrava um galho oco e levava para Rosette. Ela queria construir uma flauta, mas nunca chegou a nada que a agradasse. Nenhuma de nós tinha aprendido coisas simples, como a cerâmica ou a arte de reconhecer ervas, e Théa dizia com frequência que mesmo uma região tão pobre quanto aquela onde vivíamos tinha que oferecer mais recursos para a invenção do que aquilo que nos vinha à mente. Por exemplo, as ervas aquáticas que usávamos para os telhados, se adequadamente tratadas, não poderiam ter gerado um fio que fosse bom para tricotar e tecer? Francine lembrava que o linho tinha que ser macerado, mas o que era macerar? Tinha também a ideia de deixar a madeira mergulhada na água por bastante tempo para depois vergá-la: nossos testes não deram em nada e, após algumas decepções, desistimos.

Aos poucos, a inutilidade de qualquer esforço fez o entusiasmo arrefecer. Tínhamos casa e comida garantidas, alguns metros de tecido bastavam para manter a decência, e alguns quilos de sabão preto, a higiene: íamos morrer uma depois da outra sem ter entendido nada da nossa história e, com o passar dos anos, todas as questões se desmancharam. Nos porões, a luz ainda brilhava, e eu não me conformava com o fato de jamais entender isso. De onde vinha a eletricidade? Em algum lugar devia haver uma estação de energia funcionando, Théa me dissera. Ela era totalmente automatizada? Ainda havia pessoas fazendo funcionar sem saber por quê? Será que um dia ela iria parar e a carne iria apodrecer nas câmaras frias? Ninguém mais imaginava que o resgate chegaria, e as poucas perguntas que restavam eram sempre relacionadas ao nosso fracasso. Eu não tinha coragem de dizer que queria continuar caminhando, explorando, pois sentia que elas teriam me achado louca.

Não era propriamente desespero, que Théa me explicou ser um sentimento violento que produz grandes explosões emocionais, e sim um encolhimento do ânimo. Não havia mais as conversas infinitas sobre qualquer coisa, nem a alegria nervosa de antigamente. Durante o ano quando construíramos o novo vilarejo, elas tinham recuperado a empolgação, que desapareceu, e então voltaram à lentidão, sem nunca terem pressa em qualquer atividade, pois eram tão poucas que elas preferiam que durassem. Isso fazia elas parecerem umas velhinhas. Não havia nada que fizesse elas levantarem os olhos, então andavam encurvadas. As últimas paixões tinham se dissipado, os cabelos estavam branqueando e o desejo de viver parecia abandonar os corações. Tínhamos sobrevivido à prisão, à planície, à perda de todas as expectativas: as mulheres estavam descobrindo que sobreviver não passa de adiar o momento de morrer. Elas continuaram a se alimentar, a beber, a dormir: em algum lugar sombrio se desenvolveram desistências, renúncias silenciosas, e a morte retomou seus trabalhos. Elas foram emagrecendo, nos seus rostos apagados as rugas se aprofundaram, elas conheceram a falta de ar súbita, a dor nos rins, o inchaço nas pernas. Elizabeth teve hemorragias, Germaine, dores de estômago, e Anna, uma paralisia.

Ela não conseguia mais falar, um olho estava fechado enquanto o outro suplicava. Todas nós sabíamos o que ela estava pedindo e Théa, aos prantos, não era capaz de atendê-la.

— Você me disse que conseguiria — ela murmurou, sem ousar me olhar nos olhos.

— Eu faço — eu disse.

Eu não conseguia entender direito. Se Anna queria e nós não tínhamos como oferecer nenhuma outra forma de alívio, por que aquilo era tão difícil para elas? Acho que entendo, agora que chorei, mas não tenho como ter certeza, já que, embora eu tenha vivido a maior parte da vida junto delas, sinto que fui sempre uma estranha. Provavelmente esteja me faltando uma parte do passado delas.

Ela me explicou tudo de forma bem detalhada. Era preciso contar as costelas descendo a partir da clavícula, depois identificar corretamente a borda do esterno e voltar três dedos. Ela me mostrou no próprio peito o ponto exato onde eu teria que cravar a faca, de uma vez só e com bastante força.

— Assim, quando chegar a minha vez, você vai estar pronta.

Todas elas saíram da casa onde Anna estava deitada e eu fiquei sozinha com ela. Sentei ao seu lado. Ela me olhava e eu vi, no que lhe restava de rosto, que ela estava tentando sorrir para mim. Afastei o cobertor do seu tórax esquelético, não tive dificuldade para contar as costelas salientes nem para ver a borda do esterno. Coloquei o dedo no local designado e senti os batimentos do coração dela, que me pareceram fortes. Era certo que, se nós não interviéssemos, ela corria o risco de continuar por muito tempo presa àquele estado lastimável. Ela ergueu o braço que conseguia mexer e acariciou minha bochecha enquanto eu pousava sobre sua pele a ponta da faca que eu tinha cuidadosamente afiado. Fui rápida e precisa, o braço dela tombou para trás e o coração parou de bater.

Muitas vezes recebi essa carícia, a única que fui capaz de tolerar, o agradecimento silencioso de uma mulher que recebia a morte pela minha mão. Nenhuma queria suportar o sofrimento e acho que elas tinham pressa para morrer. Não sei quantas eu matei: eu, que conto tudo, não contei isso. A cada vez, mesmo quando a dor mais violenta fazia elas se contorcerem, eu via seus rostos torturados se acalmarem na hora que eu ia golpear, e isso não me fazia chorar, pois eu conseguia sentir a pressa e o alívio delas. Era só no momento da morte que elas confessavam seu desespero e corriam rápido em direção às grandes portas escuras que eu abria para elas, deixando, sem nem olhar para trás, a planície estéril onde suas vidas tinham se perdido, correndo em direção a um outro lugar que talvez não existisse, mas elas preferiam o nada à inútil sucessão dos dias vazios, e eu sei que, naquele momento, elas me amavam. Minha mão nunca tremeu. Nós nos tornávamos estranhas cúmplices naqueles últimos segundos de vida, nos quais eu era a companheira escolhida, aquela que desataria o incompreensível destino, mais próxima que os amantes esquecidos, mortos nos porões ou sob um outro céu, mais próxima que as amantes que esperavam às lágrimas que eu saísse pela porta, com a faca enrolada num pano grosso que escondia qualquer gota de sangue, e que eu baixasse a cabeça por um instante, confirmando que tudo estava acabado, que o sofrimento da doença havia terminado, e que, pelo menos para uma de nós, a angústia tinha sido amenizada. Então nós podíamos entoar o canto de morte. Em seguida, olhávamos umas para as outras em silêncio por um momento, depois elas enrolavam a morta num cobertor, o mais novo e mais bonito que tivéssemos. Ao cair da noite, nós a levávamos ao cemitério e a colocávamos cuidadosamente no fundo do seu túmulo. Uma após a outra, elas foram enterradas sob aquele céu que nem elas, nem eu sabíamos se era o mesmo céu sob o qual tínhamos nascido.

Não foi preciso que eu parasse o coração de Théa, cada morte matou ela um pouco. Tinha havido tanta esperança ao sairmos do porão e, depois aquela lenta deterioração, o abandono gradual de qualquer expectativa, uma derrota sem batalha que tinha apagado tudo. Ela ficava se perguntando sobre quando nós tínhamos entendido que estávamos tão irredutivelmente confinadas ao ar livre quanto atrás da grade: Teria sido depois de encontrarmos o segundo porão, quando, apavoradas, víramos as outras trinta e nove mulheres mortas, amontoadas ou caídas umas sobre as outras? Ou da primeira vez que, ao descermos uma escada, já não esperávamos encontrar o portão aberto? Ou quando Marie-Jeanne se enforcara? Quando é que tivemos certeza que não tínhamos futuro, que íamos continuar a viver como parasitas daqueles que nos confinaram, chafurdando debaixo da terra para roubar nossas provisões de um inimigo desaparecido? E como é que nós não tínhamos morrido de nojo? Ela ficava interminavelmente se perguntando, e eu a escutava em silêncio. A impossibilidade de qualquer resposta alimentava a tristeza que a fazia definhar. Quando restavam apenas seis de nós, e Germaine morreu, Théa já não tinha forças para ficar em pé, e foi preciso carregá-la para que ela nos acompanhasse até o cemitério. Usamos uma padiola, construída do mesmo jeito que aquela sobre a qual Dorothée morrera, e, deitada de costas, Théa observava o céu enquanto avançava, ainda duvidando se era o da Terra. A lua estava alta. As mulheres sempre disseram que ela se parecia com a que conheceram, mas não tinham certeza se podiam confiar nas suas memórias. A visão de Théa estava bem fraca, ela apertava as pálpebras com uma obstinação inútil. Quando chegamos, Germaine já estava deitada em seu túmulo e Laurette a estava velando. Rosette já não estava viva, mas as mulheres tinham aprendido o canto e suas vozes pairaram por bastante tempo sobre a planície, pois elas o repetiram várias vezes. Eu nunca cantei. Não cantáramos no porão, depois já era tarde demais, eu tinha um nó na garganta. Eu também não conseguia gritar, só era capaz de produzir um som rouco e rachado que não chegava muito longe. Não sei nem se ainda consigo falar. Claro, tudo o que tenho que fazer é tentar, mas acho que não quero. E de que importa se eu ficar muda num mundo onde não há ninguém com quem conversar?

Permanecemos bastante tempo perto do túmulo, caladas, ou então, a cada pouco, uma das mulheres repetia as terríveis palavras: Das profundezas onde estou, eu clamo a ti, Senhor. Talvez não seja a tradução exata, nenhuma delas conhecia de verdade aquela língua morta cujas palavras elas lançavam sobre uma terra quase morta, e elas me disseram o que tinham entendido. Suas vozes iam ficando mais altas, elas olhavam para o céu escuro e acho que vagamente esperavam uma resposta, mas nada jamais atravessava aquela abóbada, a não ser o movimento mudo das estrelas. Então, uma depois da outra, elas se calaram, o uníssono cessou como uma fogueira que fica esquecida, e o silêncio se instalou, minimamente modulado pelo vento muito fraco que continua a soprar aqui. Só faltava jogar a terra sobre o corpo esquelético que mal fazia volume sob o cobertor e percorrer lentamente o caminho de volta até o vilarejo de casas vazias.

As mulheres colocaram a padiola ao lado da cama e nos deixaram sozinhas. Ajeitei Théa na sua cama, ela estava tão magra que eu conseguia erguê-la sem dificuldade. Cobri com cuidado, porque ela se tornara muito friorenta, e nos desejamos boa noite. Mas eu escutava ela chorar e não consegui pegar no sono. Fui me sentar na beira da sua cama. Ela pediu que eu segurasse sua mão. Ela sabia bem o quanto eu odiava tocar em alguém e eu compreendi que, se ela estava indo além da minha repulsa, era porque precisava desesperadamente daquele mísero contato.

— Você sabe que vai acabar sozinha — ela disse.

Eu pensava naquilo com frequência.

— Eu cuidei de você do jeito que pude quando você era pequena e depois te transmiti tudo o que sabia. Mas daqui a pouco eu não vou mais poder te acompanhar. Acho que estou indo embora.

— Você não tem escolha — eu disse.

— E como você vai viver?

— Vou voltar a andar. Vou continuar procurando. Por mim, eu nunca teria parado, mas eu sabia que as outras não aguentavam mais.

— Será que você vai conseguir dar conta? Será que não vai enlouquecer?

— Eu nem faço ideia do que é isso que vocês chamam de loucura. Você sabe muito bem que eu não sou como vocês. Eu não conheci as coisas que vocês tanto sentem falta, ou, se conheci, não me sobrou nada, e isso não me fez mal. Acho que, mesmo com vocês, eu sempre estive sozinha, porque eu era tão diferente. Nunca entendi vocês muito bem, eu não conhecia nada das coisas que falavam.

— É verdade — ela disse. — Você é a única de nós que pertence a este lugar.

— Não. É este lugar que pertence a mim. Eu vou ser a única proprietária dele e tudo que estiver aqui vai ser um bem meu.

Depois disso, ela ficou um bom tempo em silêncio. Imagino que estivesse pensando no tempo de antes, quando levava uma vida que compreendia e que ela perdera, pois às vezes uma lágrima corria no seu rosto, e eu delicadamente a secava. Fora isso, não fazíamos nenhum movimento, e dava para sentir as batidas irregulares do coração até na mão dela. Eu tinha aprendido a reconhecer aquele tipo de batimento, que vai enfraquecendo, você acha que vai parar, e então recomeça, mas não dá para confiar, a vida não é tenaz a ponto de triunfar. Eu não tinha certeza se Théa veria o amanhecer. Num determinado momento da noite, ela me perguntou se eu seria capaz de segurá-la em meus braços.

— Está tão frio.

Eu me ofereci para ir buscar outro cobertor, ela balançou a cabeça e deu um sorriso murcho.

— Preciso que alguém me abrace.

Aquilo me custou um esforço que tenho certeza que consegui disfarçar. Deitei ao lado dela, ela apoiou a cabeça no meu ombro e eu a apertei firme junto a mim.

— Eu te amei tanto — ela me disse.

Ela adormeceu assim, era um sono leve, e acho que sonhou, porque às vezes fazia pequenos movimentos, murmurava coisas incompreensíveis. O dia estava começando a surgir quando ela se acalmou completamente. Sua respiração era muito suave. Eu não tinha receio de pegar no sono e fiquei atenta à sua vida, que estava se extinguindo. Não deu para saber exatamente quando ela parou de respirar, nós duas estávamos tão tranquilas e tão quietas, e a morte às vezes é tão discreta, ela chega sem fazer barulho, fica apenas um momento e vai embora com sua presa, que eu nem percebi a mudança. Quando tive certeza que tudo estava terminado, ainda fiquei um bom tempo a segurando junto a mim, como ela queria.

Era tudo o que eu podia fazer.

Só restávamos Francine, Denise, Laurette e eu. Alguns meses mais tarde, Francine tropeçou em casa e quebrou as pernas. Théa tinha me explicado sobre aquele tipo de fratura em mulheres idosas e sobre não existir chance de recuperação. Francine sentia tanta dor que não queria nem que tentássemos levantá-la ou deitá-la de uma maneira mais confortável. Ela me pediu para dar um jeito no seu coração imediatamente, não queria sofrer um minuto a mais do que o necessário. Eu a deixei sozinha com Denise e Laurette enquanto fui ver se a faca estava bem afiada. Quando voltei, as duas mulheres sadias se levantaram para sair da casa, e uma coisa estranha aconteceu: as duas, ao passarem por mim, pararam por um momento e me deram um abraço, como se estivessem me agradecendo pelo que eu estava prestes a fazer. Me ajoelhei ao lado de Francine, que me segurou pelos ombros e me puxou na sua direção para dar um beijo em cada uma das minhas bochechas.

— Você é boa — ela disse.

Aquilo me tocou. Sorri para ela e foi sorrindo que ela acolheu a faca.

Ao voltarmos do cemitério, Denise me pediu o mesmo serviço, mas não sei por que motivo foi impossível para mim fazê-lo numa mulher que ainda estava saudável, mesmo que eu soubesse a tristeza que ela estava sentindo. Ela teve que esperar três anos, quando ficou semiparalisada, como Anna, exceto por seu rosto não ter sido afetado e ela ainda conseguir falar.

— E agora você pode?

— Agora é diferente. Agora eu devo.

Então fiquei sozinha com Laurette. Tirando eu, ela tinha sido a mais nova das mulheres, e não me parecia que sua morte estivesse próxima. Embora ela tivesse me acompanhado diversas vezes nas expedições, eu não tinha nenhuma simpatia espontânea por ela, que era um tanto mal-humorada e lamurienta. Quando ficamos sozinhas, o temperamento dela mudou. Ela nunca reclamou das minhas decisões e, na verdade, teria sido preciso muita imaginação para reclamar do que eu talvez chame indevidamente de decisões, pois quando eu dizia que estava na hora de ir buscar carne no porão mais próximo, ou de lavar nossos vestidos, ou de acender o fogo, era sempre porque o estoque de carne estava diminuindo e os vestidos estavam sujos. Ela parecia se deixar guiar totalmente por mim: me dei conta de que ela estava se desinteressando por completo da sua vida.

Uma manhã, quando eu estava voltando para o vilarejo carregada de latas de conserva, fiquei chocada com seu ar ausente. Estávamos na estação em que menos chovia, eu tinha colocado o banco do lado de fora, na frente da porta, e encontrei ela sentada ali, olhando para o vazio. Fazia anos que ela enxergava mal: ali, ela estava olhando para longe sem nem mesmo apertar as pálpebras, o que ela dizia, no entanto, que a ajudava a distinguir as coisas. Estava com as mãos apoiadas nas coxas, mas ao contrário, com as palmas para cima, como se tivesse esquecido de virá-las, o que lhe dava uma aparência estranha, totalmente desleixada, uma mulher largada ali e que ninguém se dera ao trabalho de arrumar, como uma peça de roupa que deixamos cair e que fica de qualquer jeito no chão. Suas coxas estavam um pouco afastadas. Antigamente, nos tempos da prisão, Laurette era magra como todo mundo, depois ela engordara, sempre reclamando que não conseguia conter o apetite, mas desde a morte da sua amante, Aline, ela se desinteressara pela comida e perdera muito peso: agora ela estava recuperando sua postura de mulher corpulenta cujos joelhos não se tocam quando junta as pernas por causa da grossura das coxas, como se seu corpo já não se conhecesse no presente. Seu vestido um pouco enrolado deixava uma carne murcha e frágil à mostra. Fora eu quem tinha costurado aquele vestido, juntando meticulosamente os pedaços de tecido ainda firmes das túnicas menos gastas, e ela tinha me observado fazê-lo, incapaz de realmente entender para que eu me empenhava tanto. Depois ela vestiu e voltou a si por um momento para me agradecer. Nós sempre fomos muito preocupadas com as boas maneiras, mesmo na época do porão, provavelmente para nos diferenciar dos guardas e dos seus chicotes.

Fui até ela, sempre falando, para não assustá-la. Eu contava que tinha ido buscar sopa, que nós poderíamos comer em seguida, e que eu tinha pego mais sabão, já que nossa última caixa estava quase vazia.

— Mas eu não estava errada mesmo, olhei por tudo mais uma vez e não tem mais linha, então não vou ter como remendar o seu vestido.

Antigamente, os cabelos dela tinham sido usados para costurar, mas agora eles não cresciam mais, eram curtos e raros.

Enquanto falava com ela, fiquei pensando que eu precisaria fazer uma expedição, porque ia faltar sabão também, mas evitei dizer isso. Na verdade, eu conversava só para fazer barulho, estava um pouco assustada com aquela expressão tão vazia, tão ausente: ela parecia estar dormindo de olhos abertos. Teve um leve sobressalto, virou a cabeça para mim e, como me explicara anteriormente, deve ter visto apenas uma forma indistinta.

— Ah! É você, pequena — ela disse, como se não lembrasse que só havia nós duas. — Você é uma boa menina. Eu não estou te ajudando muito.

Eu disse algumas palavras reconfortantes e entrei para acender o fogo. Ela me seguiu devagar, permaneceu em pé ao meu lado e ficou me observando, parecia incapaz de pensar em alguma forma de colaborar.

— Você acha que eu ainda vou viver muito tempo? — ela perguntou.

Seu tom era calmo e normal: ela fizera uma pergunta corriqueira, ela iria ouvir a resposta com atenção e depois ia pensar em outra coisa. Era certo que a falta de interesse pelas próprias preocupações só podia estar anunciando a morte.

As mulheres só me chamavam de "pequena", e agora que eu estou sozinha há tanto tempo e não tenho nenhum outro nome, ainda fico com a impressão confusa de ser a mais nova, mesmo que não haja ninguém com quem comparar minha idade. Lembrei da época em que eu estava cheia de raiva e desprezo, quando eu achava que elas debochavam de mim, que eu não sabia nada e elas sabiam tudo, e Laurette me interrogando como um oráculo me deixava de coração apertado. Ela estava ali, os braços pensos, sem saber o que fazer com seu corpo.

— Você está se sentindo doente?

Eu tinha sido tão lenta na resposta que ela devia ter esquecido a pergunta. Ela fez uma cara de espanto, refletiu com dificuldade e balançou a cabeça.

— Estou cansada. Mas todo mundo está cansado, né? Todo mundo: nós duas.

— Sim, todo mundo — eu disse calmamente.

Por que, se ela não lembrava que todo mundo estava morto, fazê-la recordar?

O fogo pegou. Coloquei a lenha, cobri com a chapa e peguei uma panela. Escolhi duas latas que continham sopa de tomate, Théa tinha me ensinado a ler os rótulos, e eu tive uma ótima surpresa ao ver que eram daquelas que vinham acompanhadas de almôndegas. Laurette continuava ao meu lado, como se não conseguisse imaginar outra coisa para fazer. Suas pernas pareciam vacilar: não era algo muito claro e eu não tive certeza, a princípio achei que era seu ar desorientado que me fazia pensar aquilo, mas, como ela parou de viver pouco tempo depois, é provável que estivesse realmente com dificuldades para se manter de pé. Levei ela com cuidado até uma cadeira, junto à mesa grande, ajudei ela a sentar, coloquei um prato e um copo na frente dela:

— Daqui a uns minutinhos nós vamos comer.

— Como quiser — ela disse.

Olhei para ela com atenção: seu rosto estava completamente desprovido de expressão e com certeza era minha própria ansiedade que me fazia achá-la desorientada. O olhar dela era opaco, os braços pendiam ao lado do corpo. Cogitei ajeitá-los sobre suas coxas, o que me lembrou do gesto que eu tinha feito tantas vezes, cruzando os braços de uma morta sobre seu peito e depois fechando suas pálpebras, e me contive. Mas, ao mesmo tempo, tive certeza que ela estava morrendo.

Como assim, estando ativa, sem nenhuma doença? Não era o corpo que estava cedendo, mas a alma, cada vez mais cansada de animar aqueles músculos, de fazer aquele coração bater, de cumprir todas as tarefas da vida, aquela alma que nada mais alimentava havia tanto tempo, que vira morrerem suas irmãs e que tinha como única companheira uma mulher que não gostava dela e de quem ela não gostava. Que tragédia, eu pensei, que tragédia! Ela tinha vivido, antes, vinte ou vinte e cinco anos de um destino legítimo, e então vieram os acontecimentos loucos e ela adentrou o incompreensível, ao lado de desconhecidas tão desamparadas quanto ela. E apesar de tudo, ela tinha tentado amar. Procurei lembrar de Aline, uma mulher animada e impaciente, que me dizia "Vai brincar!" quando eu a incomodava e que depois pedia desculpas, arrependida. Elas tinham vivido juntas numa casinha, discutindo ruidosamente e se reconciliando com grandes promessas: é preciso se ocupar com alguma coisa. Sentei na frente de Laurette, eu sinceramente queria dizer algumas palavras úteis, que lhe dessem força, mas, de verdade, naquela terra estéril, no silêncio e na solidão, eu mesma ignorante e estéril, o que é que eu tinha a oferecer? Por que ela iria querer viver? Nós não fazíamos nada, não íamos a lugar nenhum, não éramos ninguém.

— Olha só — eu disse a ela —, eu quero sair para explorar. Não quero terminar os meus dias aqui, comendo essas conservas só para poder sair para defecar depois.

Ela ergueu os olhos. Dava para ver que estava realmente tentando entender o que eu tinha dito. Então, para ajudar, eu repeti:

— Eu vou sair para explorar.

— Mas não tem nada — ela disse, surpresa. — Só os porões.

Ela fazia um grande esforço para pensar.

— Não tem nem estações.

— Não temos como saber. A gente desistiu muito rápido. Não foram nem dois anos procurando.

— Foi por causa das velhas. Tínhamos sempre que parar para deixar elas morrerem tranquilas. E às vezes elas demoravam muito. De repente elas se sentiam melhor e a gente achava que iam se recuperar.

— Eu quero continuar. Eu não estou velha.

— Espere — ela disse. — Espere. Eu não vou demorar.

Ela me entendia. Nós duas sabíamos muito bem que ela era incapaz de se virar sozinha, que ela não teria forças para ir buscar comida nos porões ou para juntar lenha para o fogo, que não era possível que eu a abandonasse.

A sopa estava quente. Comemos em silêncio, depois fui lavar a louça no rio. Quando voltei, ela estava de novo sentada no banco, esperando por mim. Então ela esperaria que o sono chegasse para ir deitar no seu colchão e dormir. Dormindo, ela esperaria para acordar.

Eu não queria que ela morresse: mas como é que eu iria querer que ela vivesse? Várias vezes, durante a tarde, eu senti que a impaciência me deixava agitada. A ideia de que eu ia estar livre me botava nas nuvens. Para acalmar o nervosismo, comecei a planejar meu equipamento. Eu ia pegar uma das maiores mochilas e ia colocar comida para quinze dias e dois cobertores, já que eu estava acostumada a dormir no colchão e temia que o chão me parecesse duro demais. Mais tarde, quando eu estivesse readaptada, um só seria suficiente e a carga ficaria mais confortável. Eu ia precisar de muitos fósforos, uma pá pequena e botas. E não podia esquecer de pegar sabão. Meu vestido estava em péssimas condições, mas eu acabaria conseguindo um pouco de tecido e de linha, pois encontraria regularmente guaritas e poderia me reabastecer. Era preciso ter atenção com o calçado e usar sempre o tamanho certo, se eu quisesse caminhar bastante. Eu já tivera a dolorosa experiência das bolhas e fazia anos que só usava sandálias. Nunca tínhamos encontrado meias, e a pele dos meus pés tinha se tornado macia, mas eu sabia que iria endurecer rápido.

Eu andava para lá e para cá, me entregando com energia às tarefas extremamente raras da nossa vida enquanto minha mente se preocupava com o caminho a seguir, eu refazia a lista do que precisaria levar, enumerando, repetindo, recapitulando, de modo que acabei por ficar bastante estressada. E logo eu já tinha terminado tudo que era possível: o chão estava varrido, os colchões virados, os cobertores sacudidos, não havia mais nada para lavar ou guardar. Saí, sentei numa cadeira, de frente para Laurette. Ela estava olhando o céu, para onde o sol em seguida iria se pôr, e seu olhar estava mais vazio, mais apagado do que nunca. Sua respiração estava no ritmo regular. Suas mãos estavam de novo sobre as coxas, com as palmas para cima, e dava para ver uma arteriazinha batendo na borda externa do seu punho: regular, clara, enérgica. É por isso que eu acho que ela não morreu por um mal físico, mas que tinha se dissociado daquele corpo incansável que ainda teria funcionado por muitos anos. Com exceção dos olhos. Ela me ouviu chegando, murmurou algumas palavras de um jeito tão fraco que eu não entendi, mas não tive vontade de pedir para ela repetir. O que ela poderia querer me dizer? O que nós tínhamos a comunicar uma à outra que fosse da mínima relevância? Que o tempo estava bom, que provavelmente não ia chover naquela noite, que o sol estava se pondo? Ela estava tão interessada em falar dessas coisas quanto eu em escutá-las, e é claro que ela só tinha tentado falar comigo por educação, para demonstrar que estava feliz com a minha presença, o que provavelmente nem fosse bem verdade. O que é que eu poderia oferecer, além de bebida e comida, que não prolongasse uma existência que ela não desejava mais?

— Sim, com certeza — eu disse.

Ela ficou satisfeita. Nós estávamos de acordo, sem saber exatamente sobre o quê. Ou, quem sabe, sobre o fato óbvio de que nada nos unia. Então ficamos em silêncio.

Eu não estava olhando para o céu: eu estava fascinada por Laurette. Eu tinha a impressão de que ela estava desaparecendo em si mesma, que ela estava afundando cada vez mais no interior de si mesma. No início, ainda houve alguma expressão no seu rosto, o esboço de sorriso que ela tinha dado para me receber, uma sombra de cansaço, uma careta quando um inseto pousara em sua mão. Ela não tinha se mexido, eu havia espantado o bichinho com um gesto do qual ela provavelmente nem tomou conhecimento. O sol, que estava começando a cair, iluminava o rosto dela, de frente, sem sombra: não havia nada para ver exceto a pele, esticada, que cobria tecidos ainda vivos, um modelo orgânico, com cumes e vales, diferentes dos de uma planície ou colina, que os olhos podiam explorar, mas sem aprender nada além da sua configuração. Eu poderia ter tocado nela, é claro, acariciado suas faces: será que ela teria sentido? Houve um momento em que tudo pareceu suspenso, eu conseguia ver que a arteriazinha do punho ainda batia, no entanto, tive certeza de que Laurette estava morta. A respiração dela era suave, de um automatismo constante que se negava a cessar, mas ela já não estava mais pensando. Antigamente, Théa me explicara o que era um eletroencefalograma: o de Laurette estaria plano. Sentada no banco, de frente para o sol poente, ela extraviou sua alma nas circunvoluções cerebrais, nos cantos e recantos misteriosos da memória, ela retrocedeu, à procura de um universo que fizesse sentido, perdendo o rumo entre os labirintos, esmorecendo aos poucos, enfraquecendo, apagando-se em silêncio e depois se extinguindo de forma tão gradual que não foi possível perceber a passagem da derradeira chama à escuridão. Quando o sol tocou o horizonte, a luz oblíqua incidiu com muita nitidez sobre seu punho, e eu vi que nada mais palpitava sob sua pele branca. Dei um suspiro profundo. Meu último laço estava rompido.

Fiquei bastante tempo olhando para ela, depois a deitei no banco, cruzei suas mãos sobre o peito, virando com cuidado as palmas para baixo, nem precisei baixar as pálpebras, que já estavam caídas sobre seus olhos quase cegos. Não havia nenhum motivo para esperar: peguei a pá e fui cavar atrás da casa grande, lá onde já estavam as outras. A noite estava bem clara, como acontece sempre que o céu está sem nuvens, mesmo que não haja lua. Eu não ia fazer um buraco muito fundo, uma vez que não havia animais para tentar desenterrar os cadáveres, nem me preocupar em deixar um morrinho ou qualquer sinal que indicasse que os restos de um ser humano estavam ali: eu me lembraria, e quem mais eu teria para avisar? A cova ficou pronta em uma hora. Era preciso levar Laurette até lá, eu tinha pensado nisso enquanto cavava: eu estava sozinha e, por mais magra que ela estivesse, era pouco provável que eu conseguisse carregá-la. A ideia de colocá-la no carrinho me dava engulhos: ele era muito curto, as pernas dela ficariam balançando de um jeito grotesco, eu queria transportá-la com dignidade. Eu estava muito confusa, e foi só quando voltei para perto dela que me ocorreu a ideia, quando vi a mesa grande que eu tinha construído tanto tempo atrás. Eu iria equilibrá-la sobre o carrinho, para então colocar Laurette em cima, cuidadosamente enrolada no melhor dos cobertores. Foi bastante complicado, eu já suspeitava que aqueles anos de vida sedentária tivessem diminuído minha força física. Precisei me valer de toda minha determinação. Já era noite alta quando fiquei pronta para levar Laurette até seu túmulo. Fui colher algumas flores silvestres e as arrumei em volta do rosto dela, do jeito que as mulheres faziam. Ela estava pálida e serena, não parecia mais morta do que quando seu coração ainda batia e ela já não tinha interesse pela vida.

Comecei a empurrar o carrinho. Precisei interromper o trajeto com frequência, remover pedras, limpar o terreno: que lento cortejo fúnebre foi aquele enterro de uma mulher pela última das outras mulheres. Eu parava, me inclinava, me endireitava: lembrei das descrições das peregrinações que eu escutara, daquelas pessoas que andavam de joelhos de uma igreja a outra em busca de perdão pelos seus pecados. Eu nunca entendera muito bem do que se tratava, mas sentia que estava participando de um ritual muito antigo daquele planeta de onde eu viera e que me era totalmente estranho.

— Pronto — eu falei para o cadáver de Laurette quando chegamos. — Está quase acabando.

Peguei ela nos meus braços da forma mais delicada possível, e aquilo era menos incômodo do que encostar numa mulher viva. Ela me pareceu terrivelmente pesada e foi muito difícil colocá-la deitada de um jeito suave, mas eu consegui. Não queria cobri-la de terra, estragar o rosto sereno e os cabelos brancos que eu alisara com cuidado. Pus a mesa grande no chão e arranquei as pernas dela, depois coloquei o tampo sobre a cova. Nivelei a terra ao redor e recuei: era um belo túmulo retangular, muito adequado. Certamente as intempéries, por mais moderadas que fossem, desbotariam a madeira, mas ela continuaria no lugar e Laurette poderia virar pó tranquilamente.

Fui me deitar. Eu achava que, depois de todo aquele trabalho, eu iria dormir como uma pedra, mas estava agitada demais com a ideia de partir. Pelas três da manhã, não conseguindo mais me segurar, me levantei, acendi o fogo para aquecer a água e comecei a arrumar minha bagagem. Quando éramos trinta ou quarenta, tínhamos sempre que considerar as velhas, que andavam devagar e não conseguiam levar muita coisa, mas eu era forte e decidi carregar comida para três semanas, era mais do que o necessário até chegar a outro porão. Ao longo dos anos, nós tínhamos encontrado seis cantis de metal, e eu enchi todos de água, pois os rios eram bastante raros, de um até outro às vezes andava-se vários dias. Théa tinha me dito que a carne dava força e eu notara claramente, ao enterrar Laurette, que minha resistência havia diminuído. As latas não continham o suficiente, e eu resolvi ir buscar mais carne na câmara fria e fervê-la por bastante tempo, para que ela se conservasse.

Tínhamos nos estabelecido a cinco quilômetros de um porão de homens e, como de costume, havíamos fechado a porta principal, humilde cerimônia que nunca deixávamos de realizar. Depois de pegar os quartos de carne que eu precisava, quis dar uma última olhada nos companheiros mortos após os dez anos que eu passara ali. Com o tempo, o cheiro havia se dissipado, pois a ventilação seguia funcionando, e, de porão em porão, eu tinha me acostumado ao cenário de corpos caídos em desordem, mais tarde mumificados. No entanto, um deles prendeu meu olhar. Ele estava sentado sozinho, distante dos outros e da porta fechada. Será que ele quis se manter isolado do grupo enlouquecido que, até o último suspiro, ficara lutando com a fechadura, ou teria sido ele o último a morrer, depois de ter dado o golpe de misericórdia, como eu tinha feito tantas vezes, naqueles que não suportavam mais e que não conseguiam parar de viver? Ele colocara um colchão dobrado às suas costas e dois nas laterais, de modo que estava sentado bem ereto, com o corpo firmemente apoiado. Ele me pareceu ter morrido com dignidade, a cabeça erguida, os olhos bem abertos voltados para a passagem escura, um ar orgulhoso e desafiador. Contornei a jaula para me aproximar dele: pelo pouco que restava daquele rosto, tive a impressão de que tinha sido bonito, a barba escura e a pele murcha não escondiam a harmonia dos traços. Ele estava com os punhos cerrados, pousados um ao lado do outro sobre os joelhos, talvez fosse assim que os guerreiros de antigamente morriam, com a arma na mão, encarando seu destino de frente. Seu torso estava semicoberto por uma túnica rasgada, dava para ver a ossatura robusta de um ombro que devia ter sido forte. Fui invadida por uma onda de tristeza, eu, que nunca conheci os homens, diante daquele que quisera vencer o medo e o desespero para entrar firme e furioso na eternidade. Suspirei e saí dali.

Subi a escada devagar, sentindo uma estranha nostalgia me chamando de volta. Eu nunca mais iria descer naquele porão. Ah! Eu veria mais uma centena, eles eram incontáveis, mas, naquele porão onde eu tinha ido buscar mantimentos com tanta frequência, eu jamais me dera o trabalho de olhar os cadáveres ressecados, e eis que agora um deles me deixava emocionada. Eu não o notara entre seus companheiros e, quando finalmente o vi, eu já estava indo embora. Em outra vida, eu poderia tê-lo conhecido, ele não era muito velho, poderia ter sido um amigo do meu pai, ou até mesmo meu pai, já que era certo que eu tivera um pai. Ou então um amante. Mas tudo o que eu sabia dele era sua intenção de morrer com dignidade, sentado bem ereto, de permanecer à parte, fora da confusão de medos e gritos em que os outros se misturavam. Ele era um solitário, como eu, um orgulhoso, e eu estava indo embora sem saber nada sobre ele, a não ser seu último projeto. Mas pelo menos uma coisa estava garantida: ele quis enfrentar até o fim, e agora alguém sabia disso. Enquanto eu vivesse, a lembrança que tinha dele viveria também, haveria uma testemunha do seu orgulho e da sua solidão. Parei, hesitei por um momento, então desci as escadas e fiquei olhando demoradamente para ele. Não havia nada de novo para descobrir naquele rosto de pergaminho. Eu sentia uma tristeza profunda e pensei que talvez fosse assim que antigamente, no tempo dos humanos, as pessoas se despediam do corpo de um amante muito querido, tentando gravá-lo por completo na memória. Eu não sabia nada sobre ele, mas eu também não sabia nada sobre mim, exceto que, um dia, eu também morreria e, como ele, eu iria preparar um suporte para me manter ereta, olhando para frente até o último momento, e, quando a morte tivesse triunfado sobre o meu olhar, eu seria como um monumento de orgulho erigido com ódio frente ao silêncio.

Com pesar, me despedi dele. De volta ao vilarejo, botei a carne para ferver. Como tinha que manter o fogo aceso, eu não podia dormir. A manhã estava prestes a nascer, e eu ainda não tinha sono. Nos tempos da prisão, dormir era obrigatório, só mais tarde é que fui aprender que era importante para o bem-estar e também que era aconselhável viver no mesmo ritmo que as outras. Mas eu estava sozinha. Ninguém mais dependia de mim nem poderia ser perturbada pelos meus hábitos. Eu tinha absoluta confiança no meu corpo, que exigiria o sono quando sentisse necessidade, não havia nenhuma razão para eu ir deitar se não tivesse vontade. Eu já podia partir. Coloquei o calçado, peguei a mochila e saí. Não era necessário sequer apagar o fogo, fechar a casa, guardar o pouco que eu estava deixando por lá. Tudo o que eu tinha a fazer era escolher a direção.

Tomei a do sol nascente, porque o céu estava muito bonito daquele lado. Não havia nuvens e, já fazia bastante tempo, eu adorava ver o dia se abrindo. Comecei num ritmo tranquilo e sem pressa, que eu conseguiria manter por bastante tempo. Identifiquei alguns pontos de referência na paisagem para evitar andar em círculos e dei início a essa caminhada que, eu imaginava, só terminaria junto com a minha vida, mesmo eu não sabendo o que esperava dela. Subi a longa e suave encosta que ia para o leste e me virei quando cheguei no topo: olhei para as dez casas do vilarejo, que me proporcionaram tanto prazer ao construí-las. Atrás da maior ficava o cemitério onde eu enterrara Théa. Só hoje sou capaz de perceber que tudo o que senti por ela, a confiança que se desenvolveu lentamente, a predileção constante por sua companhia e a alegria sempre que eu a encontrava depois de uma expedição eram provavelmente aquilo que as mulheres chamavam de amor. Dali em diante, eu já não tinha ninguém para amar.

Desde o início contei meus passos. Meus batimentos cardíacos tinham sido minha unidade de tempo, os passos seriam minha unidade de comprimento. Tinham me dito que um passo médio tem setenta centímetros, e que cem centímetros formam um metro. Quando as mulheres falavam sobre comprimentos ou distâncias, era sempre em metros ou quilômetros, então eu tinha a tendência de usar as mesmas noções. Logo percebi que aquilo era completamente absurdo: aqueles termos faziam sentido para elas, mas não para mim, e eu não precisava mais usar uma linguagem compartilhada. Uma hora de caminhada: era isso que fazia sentido para mim, não tinha por que me dar ao trabalho de converter passos em quilômetros. Eu avaliaria as distâncias pelo tempo de caminhada. Eu me baseava sempre na confiança que tinha no meu relógio interno e, naquele primeiro dia, eu decidi que ia contar o número de passos dados em uma hora e ia definir uma unidade que seria o meu equivalente ao quilômetro. Logo, era preciso andar num ritmo bastante regular. O terreno era pouco acidentado, alternando leves declives e subidas moderadas que certamente não iriam influenciar muito no meu passo. A primeira etapa durou cinco horas: eu contara trinta e sete mil setecentos e quarenta e dois passos. Entrei com tudo no cálculo de divisão, que já não era tão difícil desde que Théa me ensinara a fazer, escrevendo os números no chão, mas mesmo assim me exigia um enorme esforço de concentração. Aquilo dava sete mil cento e cinquenta passos por hora. Decidi verificar contando hora por hora, e depois por frações de dez minutos, e finalmente concluí, à noite, que eu caminhava regularmente num ritmo de cento e dezenove a cento e vinte e dois passos por minuto.

 Ao mesmo tempo, passei a tentar medir de antemão a que distância eu estava de um determinado ponto, a fim de desenvolver minha noção de espaço. A paisagem monótona não facilitava muito as coisas, eu tinha que me contentar com uma moita, um pequeno rochedo, indícios pouco chamativos, e algumas vezes não conseguia saber se a moita pela qual eu estava passando era a mesma que eu tinha definido como referência dez ou quinze minutos antes. Mas fui medindo meu percurso e comecei a sentir que uma percepção da distância estava se constituindo, como tinha sido, antigamente, com a percepção do tempo.

Naquele primeiro dia, eu fiz, apesar da noite em claro, dez horas de caminhada naquele passo uniforme que poderia me levar longe, e decidi parar logo que senti que o cansaço me fazia perder o ritmo. Eu tinha me perguntado o que ia fazer com que eu parasse, se seria a fome, o sono ou o tédio: em resumo, o que provoca uma tomada de decisão quando se está completamente só. Fiquei satisfeita com aquela primeira resposta: eu queria criar em mim um medidor de distância, então eram o meu plano e a manutenção das boas condições para sua realização que estavam decidindo. Sentei no lugar onde eu estava quando notara a mudança de ritmo. Eu poderia ter feito uma fogueira, bastava juntar gravetos e pegar alguns galhos dos arbustos mais próximos, mas, tão logo minha mochila tocou o chão, eu me dei conta de que estava extenuada e decidi comer minha carne cozida sem aquecer. Claro, não era uma refeição muito boa, mas ela foi deliciosamente temperada com a sensação de que eu tinha, enfim, liberdade total. Eu estava tendo a medida do quanto odiava a obrigação de seguir as outras mulheres e o desejo delas de se estabelecerem, e fiquei sorrindo sozinha enquanto pensava nos imensos trajetos que me esperavam. Nivelei o chão, deitei sobre um cobertor dobrado ao meio, me enrolei no outro e adormeci imediatamente. Seis horas depois, acordei faminta, comi de novo e voltei a dormir até o nascer do sol. Antes de partir, fui jogar um pouco de terra no buraco onde fizera minhas necessidades: ali eu percebi que estava toda enrijecida, com as panturrilhas, as coxas e as costas muito doloridas. Eu nunca tinha caminhado por tanto tempo de uma só vez. Não sabia como tratar aquilo: era melhor ficar em repouso ou seguir adiante, com a ideia de que o exercício soltaria a musculatura? A impaciência me guiou, a ideia de passar um dia sentada no meio daquela planície monótona me soava ridícula. Mas, se eu não conseguisse contar com a regularidade do meu ritmo, não estaria trabalhando para melhorar meu medidor de distância naquele dia.

À tarde, a paisagem mudou ligeiramente. As longas ondulações do terreno se acentuaram, havia encostas que duravam uns bons dez mil passos. Ainda não dava para falar em colinas, mas eu fiquei muito animada com a ideia de que aquela mudança pudesse anunciá-las. Minha vontade era acelerar o ritmo, o que me pareceu ainda mais irracional, já que, se as dores não tinham piorado, tampouco tinham desaparecido, e eu suspeitava que não valia a pena ser imprudente e arriscar que elas me obrigassem a parar. Além disso, o cansaço chegou mais cedo do que na véspera e eu não queria ir além das minhas forças. Estava certa de que não era ultrapassando os próprios limites que se ganhava resistência. Parei um pouco antes das seis da tarde e fiz uma fogueira. Comi bastante, o máximo e pelo máximo de tempo que pude. Antes de dormir, esfreguei meus pés com gordura, pois eles estavam queimando. Uma das latas continha o que as mulheres chamavam de cassolé, recoberto com uma camada de banha, que eu removi antes de colocar o resto para esquentar na panela. Eu tinha reparado que o contato daquela gordura fazia bem para a pele das mãos e foi por isso que tive a ideia de passá-la nos pés e no rosto. Não peguei no sono tão rápido como na véspera, tive tempo para observar o sol se pôr e as primeiras estrelas surgirem no céu pálido e limpo.

Na metade do terceiro dia, vi uma guarita surgir na encosta seguinte. Não estava esperando por aquilo tão cedo. Parei, sentei na relva rala e seca para contemplar minha meta de longe. Eu sabia muito bem o que iria encontrar, a inalterável procissão do desespero: em cima, as fechaduras enferrujadas, depois a escada que descia de uma só vez, as portas abertas, a luz acesa por toda a eternidade e, lá embaixo, o portão fechado, a jaula e sua população de cadáveres. Eu desceria, olharia para tudo com bastante cuidado, a única homenagem que podia prestar às vítimas, e então fecharia a porta principal. Não sei se eu ainda esperava encontrar uma grade aberta algum dia, ou então os rastros de um outro grupo de mulheres ou de homens que teriam conseguido sair e se estabelecer no exterior como nós tínhamos feito — somente os rastros, já que, sendo a última sobrevivente do meu porão, eu não imaginava que alguém tivesse vivido mais do que minhas companheiras. Acho que era nisso que eu estava pensando, pois tinha o costume de considerar todos os ângulos de uma questão e nunca conhecera outro passatempo que não fosse a reflexão.

O sol estava se pondo quando segui caminho. O descanso tinha me feito bem, eu não sentia mais aquelas dores. Calculei que o porão estava a mais ou menos meia hora de distância e fiquei feliz ao constatar que eu não estava nem um pouco enganada: o trajeto durou vinte e oito minutos. Deixei minha mochila na guarita e comecei a descida sem me apressar. Quase não tinha mais cheiro, mas, mesmo assim, procurei continuar respirando com prudência. Por muito tempo as mulheres fizeram comparações: cheiro de esgoto, de pântanos insalubres, de cloaca, coisas que eu não conhecera, para mim era apenas o cheiro insosso dos cadáveres. Lá embaixo, no corredor estreito, as portas estavam abertas na mesma disposição de sempre: a sala dos guardas, a despensa ao fundo, a porta dupla da prisão. Notei que uma cadeira tinha sido derrubada, uma panela caíra e espalhara seu conteúdo, que havia secado e deixado uma mancha marrom: aquela mínima desordem era rara e me deixou intrigada, mas antes de tudo eu tinha que ir até a jaula. Tínhamos sempre sentido como uma obrigação, mesmo quando já sabíamos com certeza que nunca encontraríamos o portão aberto, que era preciso prestar homenagem aos mortos, àqueles corpos retorcidos que continuavam ali, largados de qualquer jeito, habitantes permanentes do horror e do silêncio.

Eram mulheres. Fiquei bastante tempo olhando para elas, depois dei a volta na jaula e observei tudo: não havia nada de inesperado. Os talheres ainda estavam na jaula, revelando que ali, quando o alarme soou, a refeição estava em andamento. Havia um chicote caído no chão, no espaço onde os guardas andavam de um lado para o outro: um deles devia ser de temperamento mais nervoso que o habitual, ele tinha abandonado sua arma e talvez fosse ele quem derrubara a cadeira ao fugir. O chicote estava rente à parede, fora do alcance das prisioneiras, que tinham tentado alcançá-lo até o fim: uma delas estava deitada junto à grade, o braço ainda estendido, surpreendida pela morte no seu último esforço.

A sala dos guardas continha apenas as coisas de costume, as cadeiras, a mesa, os armários. Aquelas pessoas realmente não deixavam nada para trás. Théa com frequência ficava surpresa diante de mim, que não conseguia entendê-la bem: eu não tinha nada e não concebia os objetos dos quais ela me falava, livros, cartas, cigarros, baralhos, lâminas de barbear. Eu estava viajando com dois cobertores, uma pá pequena, um abridor de latas, fósforos e mantimentos, então não me parecia muito surpreendente que os guardas tivessem apenas suas roupas e armas. Levantei a cadeira, sentei e me senti triste. Eu não queria olhar para as mulheres mortas e tive que me forçar a isso, mas, tirando aquela do braço estendido, eu não as vi de verdade. Fiquei pensando que tinha sido hipócrita e que, como não havia ninguém para quem eu pudesse mentir, acabei descobrindo que se pode mentir para si mesmo, o que me pareceu bem estranho. Quer dizer que eu sentia mais falta de companhia do que imaginava, a ponto de ter feito de mim mesma uma outra, uma testemunha, só para poder enganá-la? Fiquei um bom tempo nesse pensamento, mas não sabia como levá-lo adiante. Eu estava tão confinada no espaço aberto daquela terra deserta quanto na jaula, na primeira parte da minha vida. Então aquela contemplação sem saída foi se desfazendo e eu voltei ao curso ordinário dos meus pensamentos, que é sempre planejar, estimar, organizar, e fui verificar as comidas na despensa. Era a única coisa que variava de porão em porão, como se as entregas tivessem sido feitas em grandes quantidades dos mesmos produtos, e a maneira de usá-los fosse deixada à escolha dos vigias. Encontrei peças grandes de carne na câmara fria e seria preciso deixar que descongelassem para poder cortá-las. Não tinha sobrado porco nem cordeiro. Na despensa, havia diversas latas de leite em pó, o que me alegrou bastante, pois fazia uns três anos que eu não tinha mais, e eu sabia que era um alimento muito rico, que me ajudaria a me manter forte. Fiquei interessada pelas outras latas de pó. Naquela época, eu lia muito mal e tive dificuldade para decifrar os rótulos: quando finalmente consegui, fiquei perplexa com a palavra laranja. Claro, eu já tinha ouvido as mulheres falarem, e aos poucos fui me lembrando que era com tristeza, como uma das coisas boas do passado. Diluí um pouco de pó na água e experimentei com curiosidade: me pareceu meio azedo, ficaria melhor com um pouco de açúcar, coisa que havia só muito raramente. Porém, Théa tinha me falado sobre as vitaminas, então peguei as latas pensando que elas iriam melhorar ainda mais minha alimentação.

Fiz várias viagens para subir a carne, os pós, um colchão e uma cadeira. Preparei uma refeição abundante e tive a excelente ideia de polvilhar com leite minha mistura de legumes e carne. Depois disso, dormi bastante tempo. Ao acordar, me dei conta de que não tinha mais nada para fazer ali. Eu estava vagamente desapontada, como se tivesse esperado mais daquele porão, como se tivesse esquecido que todos eram parecidos. O próximo também estaria com o portão fechado, mas eu tinha poucas chances de encontrar leite. Talvez houvesse uma novidade qualquer: as mulheres falavam de chocolate, de pão, de queijo. Eu estava procurando outra coisa. Decidi que, enquanto esperava para descobrir o que era, já que eu era modesta a ponto de não pensar "antes de encontrar", eu iria desfrutar da bela carne vermelha, que eu podia grelhar na fogueira de gravetos, e também do leite, do qual bebi um cantil inteiro.

Por volta das oito da manhã, eu me senti maravilhosamente bem. Desci para buscar algumas latas de conservas para substituir as que eu já tinha consumido nos dias anteriores e para ver se não tinha linha, o que eu esquecera de fazer na véspera. Quando fiquei pronta para sair, minha mochila estava nitidamente mais carregada do que ao chegar: mas não me pareceu excessivamente pesada, eu já estava mais forte. Fiquei tentada a levar o colchão, pois tinha dormido muito melhor do que no chão, mas ponderei que tinha que ser cuidadosa e que teria tempo para pensar sobre isso em poucos dias, até o próximo porão, quando eu estaria totalmente adaptada à minha nova vida. Talvez eu nem fosse mais precisar dele.

Não desenhei os sinais de sempre no chão: eu não acreditava mais em outros sobreviventes. Mas deixei o colchão na frente da guarita. Assim, caso eu voltasse a passar ali, eu reconheceria meus próprios rastros.

    Acredito que consegui contar com fidelidade a história daquele primeiro porão: acredito, mas não posso ter total certeza. É certo que foi lá que encontrei leite, mas e depois, em qual deles encontrei chá? No quinto? No décimo? Eram todos muito parecidos, com seus quarenta cadáveres mumificados, só uma vez foram trinta e oito, amontoados ou espalhados, só uma vez eu vi todas as mulheres deitadas tranquilamente, como se tivessem entendido que a morte era inevitável e então decidido esperar por ela em silêncio. Em outra ocasião, o molho de chaves estava caído no chão a dois metros do portão e eu pensei por bastante tempo no horror que devia ter sido vê-lo e não conseguir alcançá-lo. Às vezes havia uma torneira vazando na jaula, o som da água correndo sempre me deixava sobressaltada, mas eu já estava bem longe de ter qualquer esperança de que o portão estivesse aberto. Ainda assim, sempre havia comida na despensa e luz acesa por toda a eternidade. Andei de um porão para outro, carregando minhas provisões, continuando rumo ao leste, e, no final das contas, nunca peguei um colchão. Meus calçados ficaram gastos, o que não me preocupou, pois em algum momento eu encontraria botas do tamanho certo. Veio a estação em que o céu ficava encoberto, com as chuvas finas que eu conhecia, e fiquei muito feliz de ter encontrado uma lona impermeável numa das salas de guarda. Ela estava dobrada sobre a mesa, ao lado de uma pilha de cobertores novos que não tinham sido guardados. Aquilo me fez pensar de novo sobre a escassez de objetos incomuns nos porões, era como se tivessem seguido o princípio de que eles deviam ser perfeitamente idênticos uns aos outros. Eu estava prestes a mergulhar de novo na eterna reflexão sobre os guardas e sobre o sentido da nossa prisão, e meu primeiro instinto foi encolher os ombros e voltar meus pensamentos para outra coisa. Mas por quê? Com que outra coisa eu iria ocupar minha mente? Depois da nossa saída, Dorothée dizia: "Vamos organizar nossa sobrevivência, não vamos desperdiçar nossos pensamentos". Na verdade, eu podia usá-los como bem entendesse, a ideia de desperdício não fazia nenhum sentido. Minha sobrevivência estava garantida, eu nunca daria conta de toda a comida de que dispunha, e as pouquíssimas intempéries nunca tinham me deixado doente: eu podia deixar minha mente ir para onde quisesse, não importava se os caminhos que ela tomasse dessem em becos sem saída, eu poderia simplesmente abandoná-los. Claro, o sentido da nossa deportação e do nosso confinamento nunca seria revelado pelo exame dos objetos abandonados, e o chicote caído no chão não me informava nada de útil. Havia a mesma coisa em todos os porões, mesmo da parte dos guardas.

Mesmo da parte dos guardas: tive a impressão de nunca ter formulado aquilo com tanta clareza. Aquelas palavras não paravam de voltar à minha cabeça e já começavam a me irritar, quando me veio enfim a ideia: tínhamos concluído que não queriam nos dar nenhuma pista sobre o sentido da nossa prisão e da manutenção das nossas vidas, mas partindo sempre da ideia de que era óbvio que os guardas sabiam. E se eles tivessem entendido daquilo tanto quanto nós? E se tivessem sido forçados a realizar uma tarefa que não eram capazes de compreender? Se, ao colocar as mesmas coisas em todos os porões, os responsáveis por aquilo buscassem esconder qualquer informação tanto deles quanto de nós? Fiquei arrebatada com aquela hipótese, senti meus pés simularem uma dancinha e comecei a rir. Eu tinha plena consciência de que só tinha acrescentado mais uma pergunta às outras, mas era uma pergunta nova, e isso, no mundo disparatado onde eu vivia, onde continuo vivendo, era a felicidade.

Eu vou ser a única proprietária deste lugar, eu dissera a Théa um pouco antes da sua morte: mas eu sabia que as pedras e as câmaras frias não passariam de um tesouro medíocre. Eu partira com a intenção de descobrir: talvez coisas, a famosa estação de energia da qual as mulheres sempre falavam, um lugar de onde vinham as ordens que governavam nossa vida, qualquer coisa que fosse nova, e pensar que os guardas não sabiam de nada era uma ideia nova, e nada me parecia mais precioso. Eu queria fazer uma festa para mim. Como eu vivia do jeito que quisesse, andando, comendo e dormindo no meu próprio ritmo, não tinha como inventar nada de excepcional, mas, naquela noite, eu acendi a fogueira e grelhei minha carne cheia de satisfação. Prometi a mim mesma uma noite de sonhos bons. Não sei se cheguei a tê-los. Todas as noites eu tinha muita companhia, acordava sempre com a lembrança obscura de ter rido e brincado com mulheres e homens, mas nunca consegui arrancar nada minimamente mais preciso da minha memória. O que continua a me surpreender, já que, estando acordada, eu não esqueço de nada.

Com a conclusão de que os guardas eram, no fim das contas, apenas uma outra categoria de vítimas, eu estava pronta para o estranho encontro que iria ocorrer. Já fazia um ano que eu estava andando, sempre na direção do sol nascente. A paisagem tinha mudado um pouco, as longas ondulações do terreno viraram colinas, que eu jamais subia sem esperança. Os rios, mais profundos, me permitiam nadar, o que me proporcionava um imenso prazer, e eu encontrei novas espécies nos bosques mais densos. Eu examinava os arbustos com bastante atenção, pois lembrava que as mulheres falavam de frutas silvestres, morangos, amoras ou framboesas, todas muito saborosas, mas nunca vi nada que se parecesse com as descrições delas. Só uma vez encontrei o que achei que fossem cogumelos, mas não peguei nenhum, porque elas haviam dito que podiam ser venenosos. Foi ao sair de um desses bosques que fui surpreendida pela configuração do terreno.

Um longo vale se estendia à minha frente, recoberto com a costumeira vegetação esparsa e com cascalho, mas imediatamente distingui uma faixa de terreno que tinha um aspecto diferente: a relva era ainda mais rala, e não se via quase nenhuma pedra. Aquilo formava uma trilha estreita que levava direto para o topo da colina seguinte. As mulheres tinham falado de estradas: seria uma? Desci e peguei aquela espécie de caminho, obviamente decidida a seguir por ele, mesmo que não fosse para o leste, uma vez que eu só escolhera aquela direção para evitar ficar andando em círculos. Caminhei por um dia e meio antes de chegar no topo de uma colina comprida e pouco elevada: assim que olhei para baixo, enxerguei o ônibus.

Estou dizendo ônibus: é claro que, logo de início, eu não conseguia entender o que via. Primeiro porque ele estava a meia hora de distância, só dava para ver uma massa retangular no meio da planície, e depois, claro, eu nunca tinha visto um ônibus, tudo o que eu tinha eram os relatos das mulheres, e nenhuma havia se dado ao trabalho de descrever em detalhes aquelas coisas que, para elas, eram simplesmente normais. Eu só sabia que era um tipo de veículo que podia transportar um monte de gente.

Meu coração batia forte enquanto eu descia, correndo tão rápido que cheguei em dez minutos. Tropecei algumas vezes, pois não conseguia desviar os olhos do meu objetivo: uma enorme estrutura enferrujada, que tinha dez passos de comprimento e o dobro da minha altura, meio desengonçada, sobre rodas em sua maioria quebradas, com janelas por todos os lados. Ainda pela metade do caminho, enxerguei as silhuetas sentadas e quase entrei em choque, mas me recompus em seguida. Já mais perto, larguei a mochila no chão e fiquei ali parada por um tempo, tentando assimilar o que eu estava vendo. Reconheci uma porta e sua maçaneta, fui tentar girá-la, ela se soltou e ficou na minha mão. Os vidros estavam quebrados, eu puxei os batentes, a porta se abriu e, em seguida, se desprendeu das dobradiças. Subi pelo que tinha sobrado dos degraus e entrei na cabine.

Com o passar dos anos, os cadáveres dos porões ficavam mumificados: estes tinham virado esqueletos, vestidos com o uniforme que eu conhecia tão bem, munidos das suas armas e usando máscaras esquisitas que escondiam os ossos do rosto. Eles estavam sentados normalmente, como se a morte tivesse aparecido de repente e eles tivessem deslizado, sem ter a mínima consciência do seu último batimento cardíaco, para aquela imobilidade definitiva que, durante anos, nada havia perturbado. O motorista estava no seu assento, suas mãos seguravam o volante quando ele morreu e continuavam lá. Ao entrar no ônibus, eu tinha provocado um leve movimento de poeira, que foi caindo sobre mim enquanto eu fiquei paralisada, estupefata. Automaticamente fiz o que vinha fazendo havia anos e que tinha se tornado a própria estrutura da minha mente: comecei a contar. Enumerei vinte e dois passageiros nos vinte e quatro assentos divididos em pares de cada lado de um corredor central. Havia, portanto, vinte e três corpos. Cada um deles tinha uma bolsa, fosse sobre os joelhos, fosse no chão, entre os pés. Sem conseguir acreditar, verifiquei com atenção: não se via nenhum sinal de agitação, nada que indicasse que haviam sido avisados de um perigo. O ônibus parara no meio da planície e todo mundo morrera ali mesmo.

Fiquei um bom tempo olhando ao redor de mim, deixando que minha curiosidade desenfreada se satisfizesse no seu próprio ritmo. Eu sabia de antemão que ela iria acabar frustrada — seria uma sorte se aquele mundo estranho em que eu vivia tivesse a bondade de acrescentar algumas perguntas às perguntas sem respostas que eu já tinha. Eram cinco horas e o sol já descia quando comecei a me movimentar.

Meu primeiro interesse estava nas bolsas: eu tinha explorado mais de cem porões e nunca tinha visto aquelas bolsas de tecido áspero e rígido, com tiras e fivelas de metal. Peguei uma. A impaciência tomou conta de mim enquanto eu a carregava para fora, eu estava tensa, meu coração batia furioso. Tentei me acalmar, me prevenindo que não haveria nada de extraordinário ali, mas eu não conseguia acreditar nisso e meus dedos tremiam ao desatar os nós.

Por cima havia uma peça de roupa cuidadosamente dobrada, de um tipo que eu nunca vira: ela tinha mangas compridas, uma gola rígida, um cinto, e não era feita com os tecidos que eu conhecia, mas com um material grosso e ao mesmo tempo bastante flexível, com pregas, bolsos, costuras rebatidas — a palavra me voltou de imediato — e partes acolchoadas. Acostumada com o algodão leve que esvoaçava com qualquer ventinho, aquilo me pareceu desagradável de usar. Com certeza era uma jaqueta, roupa da qual as mulheres tinham falado e que, no porão, os guardas nunca usavam.

Abaixo, havia diversos objetos. Comecei por um embrulho menorzinho, feito de papel grosso. É claro que eu não entendi imediatamente que se tratava de papel, já que eu nunca tinha visto um, mas não vou ficar contando a história das dificuldades que tive para identificar e nomear todas essas coisas, pois seria algo muito monótono e eu não iria achar graça nenhuma, teria que ficar o tempo todo me repetindo. Fui abrindo a embalagem com cuidado, ela era frágil e estava a ponto de se desmanchar: havia apenas um pó acastanhado, sem cheiro e sem gosto, provavelmente comida que secara. Depois tirei de um saquinho de couro flexível um aparelho esquisito que precisei examinar de perto até distinguir uma lâmina bem fina fixada entre duas placas de metal, tudo isso preso numa haste fácil de segurar. Não podia ser usado para cortar, exceto se a lâmina fosse removida: demorei um bocado para adivinhar que era um barbeador. O terceiro objeto era uma garrafa de vidro, que eu deixei para depois, pois estava muito mais interessada em duas peças de tecido bem dobrado, grosso e macio, grandes retângulos brancos: pensei que eram as tais toalhas de banho felpudas de que as mulheres tanto sentiam falta e que eu tinha aprendido a viver sem. Mas eu poderia usá-las para fazer uma roupa para substituir meu vestido, que estava caindo aos pedaços. Tinha também duas calcinhas, e mais tarde eu lembrei que, para os homens, o termo usado era cueca.

E embaixo, um livro.

Théa tinha me ensinado o alfabeto e os rudimentos da leitura riscando as letras na areia. Naquela época, isso deixava ela incomodada, pois não via o que eu poderia fazer com aquilo, mas eu insistira: havia muito pouco a aprender para que eu não tentasse pegar tudo que conseguisse. Eu guardava na minha cabeça palavras para coisas que nunca tinha visto, muito menos tocado, como eu estava fazendo agora: reconheci o livro de imediato e fiquei tão emocionada que senti uma espécie de vertigem. Acho que, se eu estivesse de pé, teria caído. Eu estava segurando o mais precioso dos tesouros, uma das fontes onde podia beber o conhecimento daquele mundo ao qual eu nunca teria acesso. Como sempre acontece quando sou tomada de emoção, comecei a contar: o título, escrito em letras grandes, continha vinte e três letras, divididas em quatro palavras, e três delas começavam com maiúsculas. Eu estava olhando sem tentar decifrar — a excitação, a impaciência e o cansaço formavam uma mistura ruim que me deixava nervosa e tola, eu não sabia mais a qual curiosidade ceder, a de continuar a vasculhar as bolsas ou a de saber que assunto o livro tratava, e precisei fazer bastante esforço para me controlar. Como o sol estava muito baixo no horizonte e logo mais eu já não enxergaria o suficiente, decidi que o livro ficaria para mais tarde, mas eu estava tão estabanada que acabei deixando cair a garrafa que havia acomodado sobre minhas pernas. Foi obra do acaso ela não ter quebrado, pois acabou caindo em cima da jaqueta e eu consegui pegá-la antes que rolasse sobre as pedras. Isso me acalmou e eu acomodei o livro com cuidado no chão. Voltei para a bolsa e fiquei desapontada, pois havia apenas mais um cobertor parecido com os que eu conhecia. Então peguei de novo a garrafa: ela não era grande, provavelmente de meio litro, cheia de um líquido tão claro quanto a água, e nunca tinha sido aberta. Fiquei um tempo examinando a rolha e decidi que iria descobrir como tirá-la mais tarde: é que eu estava exausta. A vida regular que eu levava, caminhando de oito a dez horas todos os dias no deserto, não tinha me preparado para aquele ataque de emoções, eu tremia de cansaço e não tinha nem força para preparar minha comida. Tirei o cobertor da bolsa, coloquei-o aberto no chão para arejar e me enrolei no meu. Nem consegui perceber que estava pegando no sono, e fiquei surpresa, quando de repente acordei, ao me dar conta que eram três horas da manhã. Fiz uma fogueira e esquentei um pouco de comida. Quando o sol nasceu, eu estava no ônibus.

Primeiro, tirei todas as bolsas e as coloquei alinhadas a alguns passos da carcaça enferrujada, depois fiz o mesmo com os corpos. Reduzidos como estavam ao estado de esqueleto, eles me pareceram surpreendentemente leves. Eu estava muito interessada nas roupas deles: fiquei me perguntando se a calça leve de lona e a camisa com ombreiras que eu tinha visto os guardas usarem no porão não seriam um traje mais confortável que o meu vestido. Um dos mortos fora baixo e magro e eu decidi que iria pegar suas roupas e experimentá-las depois de tê-las lavado. Organizei as armas em duas pilhas: a dos chicotes, que não estalariam mais, e a das pistolas compridas, que eles nunca sacavam no porão, mas cujo uso me havia sido explicado. Fiquei tentada a experimentá-las, peguei uma, mirei e puxei o gatilho: nada aconteceu e, na mesma hora, concluí que ela não estava carregada. Mais tarde lembrei que aqueles instrumentos tinham uma trava de segurança e pensei que ela podia estar acionada, mas eu não saberia, de todo modo, como destravá-la. Comecei então a vasculhar todas as bolsas e não fiquei nada surpresa de sempre encontrar exatamente a mesma coisa: uma jaqueta, duas cuecas, um embrulho com comida — um deles, mais preservado que os outros, continha uns restinhos esbranquiçados e secos, que se esfarelavam nos dedos: presumi que fosse pão, aquele alimento tão comum que eu nunca tinha comido —, o cobertor, o barbeador e um livro. Nem precisei decifrar o título para perceber que era sempre o mesmo. Não me demorei ali, pois temia ser tomada de novo pela agitação que tinha me derrubado de sono na véspera. Enquanto eu terminava de ajeitar tudo, fiquei me perguntando como é que nós nunca tínhamos encontrado pão em nenhum dos porões. Eu ainda não faço ideia.

Ao meio-dia, estava tudo em ordem, os vinte e três esqueletos lado a lado, as calças, as camisas, as cuecas cuidadosamente empilhadas, as máscaras e as armas em três montes separados. Eu tinha observado de perto aquelas máscaras e pensado nas histórias contadas pelas mulheres: eram provavelmente máscaras de gás. Isso fez eu me perguntar sobre o que havia matado aqueles homens: certamente não um gás, contra o qual eles estariam protegidos. Além disso, nós tínhamos saído alguns minutos depois da sirene silenciar e nada tinha acontecido conosco.

Endireitei meu corpo e me estiquei, minhas costas doíam depois de tanto tempo curvadas, e examinei longamente meus pertences antes de esquentar minha refeição. Eu tinha virado dona de uma enorme quantidade de bens de repente e estava acostumada a viver sem posses, então me senti sobrecarregada. Comi olhando para meus esqueletos. Eles tinham sido os guardiões do disparate, garantindo o cumprimento de ordens cujo propósito desconheciam, eles próprios submetidos a regras incompreensíveis, e talvez não soubessem mais do que nós sobre onde estavam. A morte os surpreendera sentados no ônibus: mas será que eles sabiam para onde estavam indo? Desde a sirene, nunca tivemos nenhum indício dos guardas, e pensamos que todos haviam sido levados para outro lugar: por que esses estavam aqui? As únicas hipóteses que consegui formular só me ocorreram muito tempo depois: eles estavam fazendo um trajeto de rotina entre dois porões, estavam indo dormir, ou podiam ser novatos que estavam sendo levados para seus postos e não tinham sido informados do perigo. As máscaras de gás indicavam que aquela terra não era segura, mas o que os matara não era esperado. A nossa tinha sido a única prisão onde a sirene havia soado quando a grade estava aberta, e isso nos salvou: eles tinham sido os únicos a estar expostos, e isso os aniquilou. Essa simetria ocupou minha mente por bastante tempo, eu via nela, não sei bem por quê, uma espécie de beleza sombria. Alguma coisa, alguém, em algum lugar, conhecia o sentido de tudo aquilo? E as coisas ainda estavam acontecendo? Havia, naquele planeta do qual eu só conheceria uma fração, por mais que seguisse caminhando, ou num outro, um lugar onde os porões continuavam a funcionar? Onde homens e mulheres obedeciam ao chicote, dormiam e comiam em horários arbitrários, e onde uma garota rebelde começava a contar os batimentos do seu coração? Será que eu era a única? Será que o planeta onde eu vagava tinha mil outros semelhantes espalhados pelo céu estrelado e, à noite, quando eu esperava o sono chegar, meu olhar passava às vezes por alguma terra distante onde a mesma cena estava acontecendo?

Tomei a decisão de enterrar os esqueletos, pois queria deixar claro que, independente do que tivesse acontecido, nós éramos da mesma raça, aquela que honra os mortos. Fiz vinte e três covas rasas e os coloquei ali, depois cobri com terra, formando um morrinho sobre cada cova, e deixei as máscaras e as armas por cima. Organizei tudo num círculo, não sei bem por que, aquilo me parecia melhor, a cabeça no centro e os pés voltados para o horizonte. Levei três dias para terminar, pois o chão era seco e me deixava cansada. Eu descansava tentando decifrar meus livros.

Era sempre o mesmo: *Breve Manual de Jardinagem*. Nele explicava-se como plantar, semear, transplantar, revolver, capinar, em qual estação, quais plantas e em qual orientação. Li tudo com bastante atenção e me tornei imbatível, o que me fez rir, no enxerto de roseiras. Havia diversos desenhos explicativos que me ensinaram como era uma enxada, um bulbo de tulipa e uma porção de outras coisas que eu nunca tinha visto nem chegaria a ver.

Li e reli o livro. Fui adquirindo com ele um conhecimento completamente inútil, mas que me dava prazer.

Eu sentia como se minha mente estivesse adornada, e isso me fez pensar nas joias, aqueles objetos com os quais as mulheres realçavam sua beleza, no tempo em que a beleza servia para alguma coisa.

No quinto dia, estava tudo em ordem. Eu tinha escolhido duas calças, duas camisas, uma jaqueta, várias roupas de baixo, tinha pegado o máximo possível de toalhas felpudas e recolocado as restantes, bem dobradinhas e enroladas nos cobertores, nos assentos do ônibus. Refiz minha mochila, só um pouco mais pesada, porque eu tinha usado muitas latas para me alimentar, e de repente meu olhar recaiu sobre as garrafas, que eu tinha esquecido completamente. Como se eu tivesse ficado tão rica a ponto de negligenciar uma parte dos meus bens! Eu precisava retomar a caminhada, porque minha provisão de água estava diminuindo, era urgente encontrar um rio ou um porão para me reabastecer, mas eu ainda podia tomar um pouco do meu tempo para descobrir o que havia nas garrafas. Eu não tinha nenhum instrumento para abri-las, tentei esfarelar a rolha com a ponta da minha faca, o que foi difícil e demorou um bocado. Finalmente, consegui colocar um pouco do líquido no meu copo. O cheiro era esquisito, forte e não muito agradável para as narinas. Mergulhei o dedo, lambi: não gostei daquilo. Tomei um golinho pequeno, que engoli com cuidado, e mesmo assim ele queimou minha garganta e me deu vontade de tossir: então aquilo era álcool, como eu estava imaginando. A princípio fiquei desapontada, depois lembrei que o álcool tem propriedades medicinais e, sobretudo, que antigamente era usado para limpar ferimentos e para entorpecer os sentidos em casos de grandes dores. Meus ferimentos, nada piores do que os arranhões nas pernas de quando eu não era suficientemente cuidadosa ao passar entre espinhos, nunca infectavam. Mesmo assim, me pareceu sensato levar comigo uma garrafa. Coloquei as outras de volta no ônibus.

Antes de partir, contemplei a cena que eu estava deixando para trás: o ônibus entregue à ferrugem, uma carcaça solta no meio da planície, que pouco a pouco se desintegraria ao longo dos séculos, os túmulos em círculo, adornados com as máscaras e as armas, o silêncio minimamente perturbado pelo eterno murmúrio do vento. Tudo aquilo me pareceu incrivelmente estranho, sinistro e comovente. Senti o peso do inexplicável, da minha vida, daquele universo do qual eu era a única testemunha. Eu não tinha nada mais a fazer nele, a não ser continuar andando. Um dia, eu morreria nele. Como os guardas.

Segui a estrada.

Ela não era usada havia vinte anos e, em alguns lugares, por mais rala que fosse a vegetação, a relva tinha crescido o suficiente para escondê-la, e eu precisava subir alguma encosta para distinguir a faixa nua na paisagem. Ela me conduzia para o sudoeste. Eu me perguntava se ela me levaria a alguma coisa. A lógica diria que sim, se alguma lógica regesse aquele mundo. No ônibus, dois lugares tinham ficado desocupados: o motorista ainda estava indo buscar três guardas, um dos quais ficaria de pé, ou então estava levando os que restavam até seu destino final?

Andei por três dias, durante dez horas, pois estava de novo sendo empurrada pela pressa. Minha parada tinha sido longa e as provisões estavam chegando no fim quando vi uma guarita. Fui até lá sem emoção, certa de que ia encontrar, como de costume, a escada iluminada, as folhas da porta principal abertas e a grade fechada. Na câmara fria, fiquei feliz ao encontrar um pedacinho pequeno de cordeiro, que iria descongelar e cozinhar logo. De volta na superfície, percebi que não tinha ido nem mesmo espiar a jaula e seus ocupantes. Aquilo deixou meu coração apertado e me comprometi a homenageá-los no dia seguinte.

Naquela noite, tive um sonho que ficou gravado na minha memória. Eu estava sentada no ônibus, entre os guardas, que estavam vivos. Eu mal conseguia distinguir seus rostos por causa das máscaras, mas podia ouvi-los conversando entre eles. Na verdade, eu nunca tinha ouvido o som de uma voz masculina, mas não pensei nisso enquanto sonhava. O ônibus estava andando. A situação me parecia completamente normal, eu não me questionava nem sobre meu destino, nem sobre minha presença entre os guardas. Parecia que aquilo estava durando bastante, eu estava muito à vontade, sentada entre os homens, e de repente reencontrei o delicioso arrebatamento de antigamente, quando eu imaginava histórias e as guardava em segredo.

Aquilo me acordou. Eu estava sozinha, debaixo do cobertor, deitada no meio da planície, a poucos passos da guarita. Fui tomada por uma grande tristeza ao pensar que tinham existido homens, que a proximidade deles era capaz de desencadear aquela tempestade deliciosa e que minha única possibilidade de obtê-la, pobre de mim!, era pelo acaso de um sonho. Por alguns segundos, me perguntei de onde eu tirava determinação para viver, pensei em todas aquelas mulheres que foram mortas pelo desespero muito antes da velhice chegar, em Laurette, cansada de manter sua alma presa ao corpo, e senti algo como uma tentação silenciosa, uma vontade sorrateira de abandonar o jogo, que me assustou. Eu levantei, dei alguns passos. A noite estava clara, o céu imenso, eu ainda tinha, colina após colina, milhares de quilômetros a percorrer. Minha curiosidade, momentaneamente extinta, se reacendeu.

No dia seguinte, voltei a descer e me sentei em frente à jaula. Era um dos raros porões em que os ocupantes tinham mantido a dignidade até o fim. Não havia pilhas horríveis de corpos torturados, eles estavam deitados, cada um no seu colchão, como se prontos para dormir. Talvez algum deles tivesse exercido uma influência poderosa sobre os outros, convencendo-os de que os gritos e o pânico não resolveriam nada, que era preciso se resignar à morte e abraçar o destino sem combates inúteis. Tudo estava em ordem: mas, fora os corpos espalhados por toda parte, que tipo de bagunça se pode fazer quando não se tem nada? Senti uma espécie de serenidade tomar conta de mim diante daqueles cadáveres: eles tinham morrido com calma e iriam atravessar a eternidade em posturas tranquilas. Ocorreu de me perguntar como eu iria morrer, se seria à noite, durante o sono, e eu permaneceria deitada para sempre na planície, exposta ao vento fraco que soprava sem cessar, ou se eu ficaria doente e teria que suportar as dores. Lembrei de novo das pistolas, e foi aí que pensei na trava de segurança, fiquei dizendo a mim mesma que eu deveria ter olhado melhor, que eu certamente teria descoberto o jeito de usá-las, pois eu poderia vir a querer morrer. Eu tinha toda a liberdade para voltar até o ônibus, mas a ideia me desagradou profundamente, eu não queria refazer o mesmo caminho quando havia tanta estrada à minha frente, eu era jovem, forte e tinha bastante tempo para aquele tipo de precaução. Além do mais, eu esperava ter mais surpresas. Devia haver, apesar de tudo, alguma outra coisa além das guaritas naquela planície!

Enchi de água uma das panelas grandes e fervi minhas roupas por bastante tempo no fogareiro dos guardas. Quando pareceram limpas, levei todas para cima e espalhei na grama para secarem ao sol. Isso me tomou um dia inteiro.

Segui adiante. Agora que eu tinha livros e podia aprender a ler, lamentava o fato de não ter um lápis ou qualquer instrumento que me permitisse escrever para registrar meu trajeto. À noite, antes de adormecer, eu ficava treinando, traçando letras no chão. Tomava frases e palavras do livro como modelos. Muitas delas eu usava quando falava, então eu as reconhecia e ficava imaginando como construir aquelas que não estavam ali. A primeira que tentei foi guarita: parti de água, que era fundamental para a vida das plantas, e de margarida, o nome de uma flor comum e fácil de cultivar, que também tinha sido o nome de uma das mulheres. Se eu juntasse o *gua* da primeira com o *rida* da segunda, eu teria *guarida*, e então bastaria substituir o *d* por um *t*, que era a mesma diferença que havia entre *gado* e *gato*. Eu sentia um imenso prazer quando chegava ao fim de raciocínios como esse e me parecia que eu tinha feito tudo certo.

Aconteceu, num dia em que eu me ocupava com essas coisas, de eu maquinalmente pronunciar em voz alta as palavras que estava tentando escrever, e tive uma surpresa: minha voz tinha se tornado rouca, desajeitada. Provavelmente, por falta de prática, eu estava me esquecendo de como se fazia. Aquilo me perturbou um pouco, mas logo encolhi os ombros: e daí se eu esquecesse completamente como falar? Eu nunca mais iria falar com ninguém!

Isso não impediu que eu tivesse alguns momentos de nostalgia. O sonho delicioso não se repetiu, e às vezes eu sentia com muita força que estava sozinha, que esse fato nunca mudaria e que o único prazer que eu poderia obter era aquele, tão raro, da curiosidade satisfeita.

Continuei de porão em porão. De acordo com as estações daquela terra, onde as coisas variavam tão pouco, o inverno voltou. O tempo era um pouco mais frio e chovia com frequência durante a noite: eu dormia enrolada na lona impermeável e de manhã eu partia um pouco mais tarde, pois tinha que esperar que ela secasse. Eu vestia uma calça e a jaqueta. Enquanto aguardava o tempo melhorar, se eu não estava trabalhando nos meus livros, eu ficava costurando um vestido com as toalhas. O chão ficou mais verde, os córregos mais profundos.

Perdi a estrada.

Ela tinha se tornado cada vez mais difícil de seguir. No começo, achei que poderia ter me atrapalhado e a confundido com a conformação natural do terreno. Por mais desagradável que fosse, voltei pelo mesmo caminho. Tive a impressão de encontrar um rastro dela no topo de uma colina e observei a paisagem com bastante atenção. A direção de onde eu estava vindo parecia ser a correta, então voltei por ela, torcendo para que eu tivesse perdido a estrada por pura distração. Numa elevação, esperei pela luz oblíqua do entardecer, que enfatizava os contornos do terreno, e vi a faixa estreita se estendendo na encosta em frente. No amanhecer do dia seguinte, ainda dava para ver alguns indícios, mas, depois de uma hora de caminhada, eu já não conseguia distinguir nenhum sinal claro. Decidi percorrer um vasto semicírculo que teria um raio de cinco mil passos. Por três dias, andei de um lado para o outro e tive que me conformar com o fato de que ela terminava ali.

A decepção foi muito grande. Eu tinha esperado muito que ela fosse me levar a algum lugar, tinha esquecido que, naquele deserto, nada fazia sentido. Será que alguém constrói uma estrada que termina de repente? Sim, eu disse a mim mesma, sim, aquelas pessoas constroem. Minha vontade foi de sentar no chão e chorar, mas, felizmente, minha raiva foi mais forte e me empurrou de novo para a frente. Eu precisava escolher uma nova direção. Eu tinha inicialmente escolhido a do sol nascente, depois a estrada me fizera desviar para o sudoeste, e agora decidi seguir para o sul.

Eu sentia menos entusiasmo. A estrada e o ônibus, que tanto me haviam dado esperança, acabaram se revelando enigmas insolúveis como tudo mais e, de tempos em tempos, eu pensava que era uma recompensa muito escassa para dois anos de caminhada. Mas aos poucos minha força natural voltou ao que era e, andando de cume em cume, me ocorreu a ideia de organizar meu trajeto de forma mais inteligente do que em linha reta. Percebi que, avançando desse jeito, eu só conseguia explorar uma zona muito estreita, e talvez eu estivesse perdendo coisas à direita e à esquerda. O semicírculo inútil me inspirou: eu traçaria grandes arcos paralelos, separados por duas ou três horas de caminhada, de acordo com a minha vontade e a aparência da paisagem. Isso, obviamente, era muito mais difícil de calcular do que seguir sempre em frente, nesse caso me bastava fixar os pontos de referência e andar na direção deles. Eu sabia que, se você segue o sol, acaba andando em círculo. Me entreguei a reflexões complicadas e experiências no chão: era preciso segui-lo por um tempo e corrigir o rumo ao meio-dia. Naquela época, eu não tinha nenhum meio para fazer um mapa das minhas rotas, mas à noite eu as desenhava com pedrinhas no chão e ficava longamente observando para que entrassem na minha cabeça. Me ocorreu de me perguntar se os porões estavam dispostos ao acaso ou se havia um esquema que determinasse sua distribuição. Durante a primeira exploração, tínhamos levado vinte e seis dias para encontrar um, mas já havia me acontecido de caminhar apenas uma semana para poder me reabastecer. Tracei diversos semicírculos, e então, quando tive certeza de que conseguiria me orientar bem, comecei a andar em zigue-zague ao longo dos arcos de círculo: depois de algumas semanas, percebi que os porões estavam dispostos em quincunce. Seguindo-se em linha reta, inevitavelmente perdiam-se alguns. Rapidamente me tornei capaz de, estando numa guarita, definir como me deslocar para encontrar a próxima: eu podia cruzar com elas ou evitá-las quando bem entendesse. Nunca as evitei e, precisando ou não de comida, eu descia para saudar os mortos. Nenhuma jaula estava aberta.

O acaso que havia feito soar o alarme no exato momento em que o guarda introduzia a chave na fechadura tinha sido único. Às vezes me ocorre de admirar meu destino: eu tinha sido a única criança entre as mulheres, e eram justamente essas prisioneiras que tinham sido salvas. Por alguns anos.

Esse novo domínio sobre meus trajetos dissipou o clima melancólico que estava me rondando. Afinal de contas, eu fizera uma descoberta, então por que diabos eu tinha permitido que ela me desencorajasse? Eu faria outras.

Eu fiz uma outra.

Foi no final de um dia. Eu estava cansada, procurando um pedaço de chão onde me parecesse agradável parar. Tinha chovido por várias noites, mas naquela o céu estava claro, então eu podia contar com um tempo seco, o que era um alívio, já que eu não tinha conseguido fazer fogo e tinha comido meus enlatados totalmente frios e duros. Eu precisava achar um bosque um pouco denso, que pudesse cortar com facilidade, ou seja, com o mínimo possível de espinhos. Eu estava olhando atentamente ao meu redor, mas com um objetivo específico, o que quase me fez ignorar aquele montinho de pedras. Eu tinha quase passado por ele quando a sensação de alguma coisa incomum me fez parar. Então me virei e vi aquela pilha, que se destacava com nitidez na uniformidade da planície. Nunca havia aqueles amontoados! Aquilo tinha dois passos de largura e batia quase nos meus joelhos. Eu nunca tinha topado com nada parecido, no máximo algumas pedras grandes próximas umas das outras: o que eu estava vendo ali não tinha como ser natural. Tirei a mochila das costas, coloquei lentamente no chão, mal conseguindo controlar minha respiração.

Quase tive medo de começar a mexer naquilo, tive que me sacudir. As pedras eram bem grandes, eu só conseguia pegar uma de cada vez, e logo me dei conta que ia acabar me esfolando toda. Rasguei um pedaço do cobertor e enrolei nas mãos, o que deixava o trabalho mais lento, mas algo em mim tirava proveito disso: eu tinha um medo absurdo de me decepcionar e de, depois de todo o esforço, ter conseguido apenas incomodar alguns insetos que gostavam de sombra. Aquele montinho era artificial, não havia nenhuma dúvida: se ele não escondesse nada, eu teria que me perguntar por que o haviam construído, e essa nova pergunta seria minha única conquista, um tesouro estéril que já estava começando a me cansar. Aquele mundo era como um quebra-cabeça, e eu tinha apenas algumas peças que não se encaixavam. Antigamente, Théa me explicara esse jogo e me pareceu que eu teria gostado dele.

Eu estava me esforçando para remover as pedras uniformemente do topo do montinho para evitar um deslizamento. Foi demorado. Levei mais de uma hora até chegar à última camada de pedras, que eram muito menores e formavam um círculo. Peguei a pá que eu usava todas as noites para nivelar o solo antes de me deitar e comecei a varrer o chão com cuidado. Eu estava ajoelhada, como os peregrinos dos tempos passados, e com certeza estava tremendo tanto quanto eles. Muito rapidamente, a pá tocou uma superfície metálica.

Ah! Que sobressalto em todo o meu ser! Tive uma espécie de arrepio ardente e fui tomada por uma vertigem. Fiquei alguns segundos parada, recuperando o fôlego, deslumbrada e quase assustada. Larguei a pá, enrolei de novo as mãos nos panos para afastar as últimas pedras. Gotas de suor caíam da minha testa e eu tremia de impaciência, mas continuei trabalhando lenta e metodicamente. Em três minutos estava tudo limpo: eu tinha diante de mim uma placa de metal, redonda, de dois passos de diâmetro, com uma alça um pouco enferrujada e um pouco deslocada em relação ao centro. Peguei uma chave de fenda para soltá-la e erguê-la. Eu ia ter que levantar aquela placa que parecia muito pesada? Fiquei perplexa e quase aflita, dizendo a mim mesma que eu não teria força suficiente, mas, por via das dúvidas, puxei a alça. Senti que algo se movia, puxei de novo e descobri que a placa girava sobre um eixo transversal, com dificuldade devido ao atrito, mas sem exigir mais força do que eu tinha. Ela se ergueu, parando na vertical no meio do aro de aço, e eu vi, a meio passo de profundidade, uma pequena plataforma na qual eu poderia colocar meu pé. Entrei com cuidado, descendo lentamente, com as mãos nas bordas. Assim que encontrei apoio, percebi que aquilo era o primeiro degrau de uma escada muito estreita que descia em espiral e que não estava iluminada. Naquela época, eu ainda não conhecia a escuridão profunda dos lugares fechados, já que a luz nunca se apagava nos porões, mas as mulheres tinham falado de interruptores. Apalpei a parede: elas não tinham dado muitos detalhes, mas eu julgava tratar-se de pequenos objetos localizados perto das portas. Comecei a descer, continuando a apalpar, e já estava no terceiro degrau quando senti uma plaquinha lisa com uma parte móvel. Apertei: uma lâmpada grande se acendeu logo abaixo dos meus pés. A parede era cinza, tão áspera quanto as dos porões, mas as escadas nunca desciam daquele jeito, em espiral, e não tínhamos como controlar a luz. Continuei minha descida, primeiro com pressa, mas acho que ainda antes do décimo degrau minha cabeça começou a girar. Parei e, apesar da minha impaciência, me forcei a esperar alguns minutos até que aquela espécie de tontura diminuísse. O desconforto recomeçou assim que voltei a me mexer. Mais tarde, vim a ser capaz de subir e descer correndo, mas, naquela primeira vez, por mais que a curiosidade estivesse me torturando, fui obrigada a fazer diversas paradas. Eram oitenta degraus vazados de metal. Finalmente enxerguei o chão, feito do mesmo material áspero das paredes. Um último giro em torno de mim mesma e eu estava lá embaixo, num corredor de seis ou sete passos de largura por doze de comprimento, forrado de cima a baixo com prateleiras cheias de latas, garrafas e pacotes de todos os tipos, que terminava numa porta feita de um material bem estranho, que eu nunca tinha visto antes. Ela abriu facilmente: vi uma grande sala quadrada, que não era cinza e sombria como os porões. As paredes eram inteiramente cobertas por uma bela madeira escura e brilhosa, e o piso era bonito e aconchegante. Compreendi que, pela primeira vez na vida, eu ia pisar num tapete. Lâmpadas colocadas em diversos pontos emitiam uma luz quente, formando focos mais claros sobre uma mesa grande, e havia assentos largos e baixos que eu logo soube que eram um tipo de objeto chamado antigamente de poltrona. Eu estava sufocando de admiração. Eu nunca tinha visto nada tão bonito, porque nunca tinha visto nada bonito que fosse obra do homem. Eu tinha visto a beleza do céu, das nuvens e suas formas cambiantes, da chuva caindo suavemente, eu tinha visto o lento curso das estrelas e algumas flores: aqui, eu via móveis, quadros pendurados nas paredes, vasos, uma pequena escultura — mas não é certo designar as coisas com tanta precisão, pois no primeiro momento eu via apenas um jogo de linhas, formas e tons harmoniosos, uma configuração incompreensível que me deixava desorientada, que enchia meus olhos de lágrimas por causa de uma sensação de calma e de equilíbrio que evocava o canto das mulheres, antigamente, quando ele se espalhava pela planície. As cores ecoavam deliciosamente umas nas outras, em harmonia com os volumes e as proporções. Eu ainda estava tonta da descida e precisei me agachar, pois senti que podia cair. Depois de alguns minutos, me pareceu sensato fechar os olhos, o desconforto não só não passava como estava aumentando. Apoiei a cabeça nos meus braços cruzados. Respirei profundamente e fiz uma coisa que já não fazia há anos: comecei a contar os batimentos do meu coração. Recorrer a um costume muito antigo me acalmou. No entanto, mais de uma hora passou até que eu tivesse condições de iniciar com toda a calma a exploração do meu novo reino. Mais de uma vez tentei levantar a cabeça e abrir os olhos, mas quase imediatamente a emoção se tornava forte demais, eu precisava me enrolar toda de novo e ter paciência para esperar que a tempestade acalmasse.

Eu estava diante do passado da humanidade, num lugar diferente dos porões, que tinha sido projetado para agradar quem vivesse lá. Eu só conhecia as prisões, os instrumentos para as necessidades básicas, os chicotes e os colchões, que tinham que ser empilhados para podermos circular: disfarçada, construída debaixo da terra, esta era uma casa.

Nunca mudei nada na disposição deste cômodo e toda vez que usei algum objeto, recoloquei-o exatamente no mesmo lugar. As seis cadeiras estavam dispostas em dois trios, um de cada lado da mesa, sobre a qual havia um lindo abajur de cor ocre e uma taça grande de vidro translúcido. Mais adiante, três poltronas formando um triângulo estavam em volta de uma outra mesa, mais baixa, e uma cama grande com uma colcha colorida, e sobre ela estavam várias almofadas como que jogadas ali casualmente. Quando consegui virar a cabeça, enxerguei, à minha direita, o que devia ser a cozinha: uma pia, chapas de aquecimento, um armário, que continha panelas e pratos de porcelana branca decorados com flores azuis. De uma das torneiras saía água quente, na outra ela descia fresca. À esquerda da pia, uma porta como eu nunca tinha visto antes, uma simples porta de madeira pintada de branco, dava para um cômodo muito menor, com um vaso sanitário, uma pia pequena e uma banheira.

Quando terminei de circular, fui me sentar numa das cadeiras, depois numa poltrona. Comecei a rir. Foram necessárias mais de duas horas para que meu espanto e minha emoção se transformassem em alegria.

Havia tanta coisa a examinar, assimilar tudo aquilo era tão desnorteante que eu ainda não tinha me dado conta que um dos ornamentos das paredes era uma estante carregada de livros. Minha cabeça começou a girar de novo, e eu fiquei um bom tempo observando-os de longe. Eu tinha lido e relido meu manual de jardinagem e o conhecia de cor. Senti meus olhos se arregalarem diante daquele presente e, para tentar superar o choque, me pus a contar: eram dezenove, e oito deles eram muito grossos, deviam ter uns três dedos de espessura. Cheguei mais perto: os títulos estavam impressos nas lombadas e, num primeiro momento, eu estava tão intimidada que tentei decifrá-los à distância, de modo que fiquei achando que não sabia mais ler. Ergui minha mão, peguei um, que me pareceu surpreendentemente pesado, depois fui me sentar e o coloquei de pé sobre sua borda. Estava escrito: *Tratado Elementar de Astronáutica*. Abri. As páginas estavam cheias de palavras e de sinais estranhos, e só consegui reconhecer os poucos símbolos que Théa tinha me ensinado: mais, menos, multiplicado por, dividido por e igual. Só pode ter sido o cansaço que me deu a sensatez de não seguir adiante naquela noite. Depois, vim a saber que alguns dos outros abordavam questões aprofundadas dessa mesma disciplina. Li todos eles, linha após linha. Não entendi nada.

Será que eu entendi melhor o teatro de Shakespeare? Ou a história de Dom Quixote de la Mancha? Ou o que acontece nos livros de Dostoiévski? Acho que não. Todos falam de experiências que eu não conheci: tenho a impressão de que me saio melhor com os objetos — foram horas de reflexão para usar o saca-rolhas e abrir uma garrafa de vinho, mas eu cheguei lá —, os sentimentos continuam um mistério para mim. Talvez seja porque as sensações que estão relacionadas a eles me são estranhas ou me dão aversão, como acontecia com o contato físico, que parece tão importante no amor. Meus olhos sempre se enchem de lágrimas quando penso na morte de Théa e no esforço que tive que fazer para segurá-la nos meus braços. Tento me imaginar sendo carinhosa: há sempre um momento em que o chicote estala. Muitas das coisas que as mulheres falaram continuam opacas para mim: eu sei que o dinheiro existia, que tudo tinha que ser comprado e que sempre pareceu estranho para elas se abastecer nas câmaras frias sem pagar nada a ninguém, mas continua algo muito abstrato e eu realmente não consigo conceber que alguém mate para tê-lo, como fez aquele pobre Raskólnikov. É verdade que eu matei, mas para aliviar o sofrimento das minhas companheiras, e sempre me pareceu que elas eram gratas a mim. Mas talvez eu não devesse ter tanta certeza: minha ignorância sobre os sentimentos humanos é tão grande que elas podiam me odiar sem que eu percebesse, se elas não falassem nada. Tampouco entendo como pode ser humilhante vestir roupas usadas: eu raramente usei outras! Gostei dos cantos de Rosette, imagino que eu teria sido mais sensível à música do que à literatura: se há gravações na casa, e as máquinas necessárias para ouvi-las, eu não reconheci.

Percebi que tinham se passado cinco horas desde que, lá em cima, sentindo o cansaço e pensando em parar, eu notara o montinho de pedras. Estava com fome. Abri uma das latas e comi seu conteúdo frio. Imaginava que as chapas de aquecimento estivessem funcionando perfeitamente, como as lâmpadas, mas já bastava de choques, eu estava esgotada e não quis nem tentar usá-las. Desenrolei meu cobertor e o estiquei sobre o tapete, deixando para usar a cama mais tarde. Depois do turbilhão de emoções em que eu tinha mergulhado, achava que ia dormir bastante: a excitação era forte demais, acordei sobressaltada e de novo com fome depois de três horas. Fui até a cozinha, onde botei água para esquentar numa panela pequena e bem bonitinha. A porta da câmara fria era à direita da pia, e fiquei muito surpresa ao me deparar com uma sala ainda maior que a dos porões, abarrotada até o teto de todos os tipos de carnes, mas também de legumes e frutas. Cada pacote tinha sido cuidadosamente etiquetado: havia alimentos que eu já tinha ouvido falar, mas que não se achava nos porões, como frango, rosbife de cervo e de corça, ovos em pó, tomate, salsinha, queijo e uma centena de outras maravilhas que, desde então, se tornaram familiares para mim. E pão, o que me deixou particularmente satisfeita. Resolvi preparar uma festinha para mim mesma, com um frango que eu polvilharia com ervas finas, tomates, bolinhos de batata e geleia de morango espalhada em fatias de pão com manteiga. Coloquei tudo para descongelar na cozinha. Mais tarde, aprendi como usar um tipo de forno que permitia aquecer a comida em poucos minutos, desta vez precisei esperar várias horas. Eu estava tão ocupada que o tempo voou. Preparei um banho bem quente e, pela primeira vez, pude experimentar aquele luxo que as mulheres tanto diziam sentir falta. Com o tempo isso foi virando uma coisa banal, e só quando eu voltava das expedições é que redescobria a maravilha de ficar mergulhada naquela água deliciosamente quente até pegar no sono. Havia sabonetes.

Claro, tudo era novo para mim e exigia longos períodos de reflexão: desse modo, aquela barra que parecia um queijo me deixou intrigada. Fiquei surpresa com seu perfume, tão incomum para mim, que só tinha conhecido o cheiro das ervas, das raras flores silvestres e da terra depois da chuva. Provei e fiz uma careta, aquilo com certeza não era comida, e logo as histórias me vieram à mente: esfreguei nas mãos, mas não deu certo, pois eu não tinha entendido que era necessário molhá-las primeiro. Então por fim cheguei lá e usei o sabão para lavar o cabelo. Fiquei maravilhada quando ele secou: estava muito leve e esvoaçante, uma moldura perfeita para o meu rosto.

Já ia me esquecendo! Obviamente, uma das descobertas mais surpreendentes foi a do espelho. Eu nunca tinha me visto. Théa me dissera que eu era bonita, mas aquilo não fazia nenhum sentido para mim, e continuou não fazendo. Mesmo assim, fiquei fascinada e passei horas e horas me contemplando. Eu não conhecia as minhas expressões e, aos poucos, descobri como era o meu sorriso, o meu olhar sério ou preocupado, eu ficava olhando e pensando: "Sou eu".

Ainda hoje gosto disso. Acompanhei, ao longo dos anos, as rugas escavarem minha testa, minhas bochechas murcharem e meus lábios se tornarem pálidos: mas esta sou eu, e tenho uma espécie de afeição pela imagem do espelho. Eu devia ter quatorze ou quinze anos quando saímos, e Laurette morreu vinte e três anos depois. Caminhei por dois anos até chegar aqui, neste lugar que chamo de minha casa: logo, eu tinha um pouco mais de quarenta. Isso já faz vinte e dois anos. Imagino que eu seja uma mulher velha, mas continuo gostando de olhar para este rosto, que não sei se é bonito ou feio, mas que é o único rosto humano que eu tenho para ver. Sorrio amigavelmente para ele, e então recebo um sorriso.

Abri os armários do banheiro e encontrei uma pilha de toalhas felpudas. Não tinha mais nada neles. Presumi que estivessem à espera das bagagens do ocupante que nunca chegara. Não havia nada guardado previamente: o que era uma pena, pois teria me possibilitado descobrir algo sobre ele.

Depois voltei para a cozinha, fiz um café com leite e coloquei um pouco de ovo em pó na água para preparar uma omelete, conforme as instruções na embalagem. Depois disso, puxei as cobertas da cama e dormi, pela primeira vez na vida, com a cabeça sobre um travesseiro. Gostei muito disso.

No dia seguinte, comecei a verificação do corredor. Ele abrigava vários tipos de ferramentas e diversos objetos que nunca descobri para que poderiam servir. Imagino que sejam aparelhos elétricos, talvez montados, talvez em peças separadas. As mulheres tinham falado de rádios, televisores, telefones, motocicletas, automóveis, e os livros de astronáutica me fizeram me perguntar se não se trata de algum material de laboratório que nunca foi posto em uso. Nenhuma indicação escrita os acompanhava, só encontrei isso no forno de descongelamento da cozinha, e foi assim que consegui aprender a usá-lo. Rodei bastante em torno dos objetos do corredor, manipulei todos e depois coloquei de volta no lugar, pois suspeitava que minha determinação não pudesse substituir a informação que faltava. Continuo indo até ali para observá-los. Afinal de contas, eu não sabia de fato ler quando encontrei o manual de jardinagem e, no entanto, acabei por conseguir decifrá-lo. Sei contar bem, sei somar e diminuir com facilidade, mas multiplicar e dividir ainda é difícil. Segundo Théa, isso se deve ao fato de eu ter aprendido a tabuada muito tarde e, para conseguir usá-la direito, é preciso que ela entre na cabeça quando a pessoa ainda é bem jovem. Fora isso, não sei de nada, e os objetos no corredor são provenientes de uma civilização técnica complexa e da qual eu não faço a menor ideia. As mulheres me ensinaram aquilo que sabiam, o que era pouco, pois além de terem esquecido muito, elas não dispunham dos instrumentos para me mostrar as coisas. Assim, eu sei que as pessoas costumavam tricotar, e nós até poderíamos ter usado galhos retos e bem lixados como agulhas, mas não tínhamos lã. Eu costuro quando encontro linha, o que é raro. Não tinha nada de linha na casa. Com o tempo, minhas calças e camisas ficaram completamente gastas, mas encontrei um bom pedaço de tecido num porão e estou usando túnicas de novo.

O que eu encontrei de mais valioso no porão foi papel. Havia diversas resmas e uma caixa de lápis. Foi assim que enfim consegui aprender a escrever. Os livros me ajudaram, mesmo os que tratavam de astronáutica: claro, eu não entendia a parte matemática, mas eles continham vários capítulos com explicações bastante extensas e, nelas, eu pude estudar as maneiras de dizer, a ortografia e a gramática. Passei muito tempo examinando os diagramas incompreensíveis que acompanhavam os textos, eu copiava para aprender a desenhar corretamente, respeitando as proporções, e então pude começar a traçar o mapa das minhas expedições.

Decidi que este porão seria minha base. Já me fiz milhares de perguntas sobre sua finalidade. Ele não estava indicado por uma guarita, mas por aquelas pedras amontoadas que podiam facilmente passar despercebidas, e me pergunto se elas serviam para escondê-lo ou para mostrá-lo. Ele contém mais mantimentos do que eu jamais tinha visto nas prisões, daria para viver aqui indefinidamente. Tenho a impressão de que é um local luxuoso, mas com certeza não tenho noções muito claras sobre luxo. Vê-se, no teto, as mesmas grelhas de ventilação que nos outros porões e, quando não faço nenhum barulho, consigo ouvir o mesmo zumbido baixinho que indica que tudo está funcionando bem. A cama é bem grande, daria para várias pessoas dormirem nela, e para seis ficarem sentadas ao redor da mesa. Na cozinha, há quatro dúzias de copos e diversos tipos de pratos. Uma única pessoa precisa disso tudo? Lamento muito que não haja roupas, não só porque teria sido uma mão na roda encontrá-las, mas também porque elas poderiam ter me dado mais informações. Os livros só me ensinaram a escrever. Seria o alojamento de um chefe ou o esconderijo construído por um fora da lei? Com certeza não tenho conhecimento suficiente para interpretar coisas que teriam saltado aos olhos das mulheres com quem vivi, já que elas pelo menos tinham visto o mundo.

E então desanimei com as perguntas inúteis. Já examinei tudo e não sei mais sobre o proprietário ausente da minha casa do que quando cheguei. Não me interesso mais por ele. Qualquer que tenha sido seu plano, ele fracassou, e seu domínio agora é meu. Não há nada que possamos fazer sobre isso, nem ele, nem eu.

Depois de dois meses, recomecei as expedições. Fiz mais de cinquenta, em linha reta ou em semicírculos concêntricos. Encontrei apenas prisões fechadas. Talvez existam outros lugares parecidos com o que adotei como minha casa, mas não encontrei nenhum, embora nunca tenha esquecido de examinar o chão, espreitando pacientemente um outro amontoado de pedras. Não entendi nada sobre o mundo onde vivo. Atravessei ele em todas as direções e não encontrei seus limites.

Na minha última viagem, eu estava no topo de uma colina, tendo à minha frente uma longa descida e uma nova planície. Eu estava olhando para uma guarita ao longe e, de repente, fui tomada pelo desânimo. Pensei comigo mesma: de novo a escada, a sala dos guardas, a jaula e os quarenta cadáveres ressecados. Sentei no chão e entendi que estava cheia daquilo. Durante mais de vinte anos vivendo sozinha, a esperança tinha me sustentado, e agora ela estava subitamente me abandonando. Eu imaginara milhares de vezes um porão onde a grade estaria aberta, onde os prisioneiros, embriagados de alegria, teriam conseguido escapar: eles teriam visto o céu, a planície, teriam estremecido, teriam pensado em cidades, em resgate, mas teriam, como nós, encontrado esta liberdade vazia na qual eu passara minha vida. Era como se eu pudesse vê-los à minha frente, olhando para mim e exigindo uma explicação: então era isso que você tinha para oferecer? Nos deixe em paz, estamos melhor mortos do que desesperados. Baixei a cabeça e tomei o caminho para casa.

No entanto, comecei a escrever este relato: ao que parece, mesmo que eu já não tenha nem a força nem a coragem para voltar às expedições, minha esperança, extinta por um momento, não está realmente morta. E se o porão em que não entrei fosse o certo, ou o próximo, ou outro a oeste, naquela vez em que virei para o leste? Quem sabe, um dia, um homem muito velho ou uma mulher muito velha não chegue aqui, veja a placa de metal levantada, se espante, tenha esperança e então comece a descer a longa escada em espiral? Ele encontrará esta pilha de folhas em cima da grande mesa de madeira, ele as lerá, e alguém finalmente terá recebido uma mensagem de alguém. Neste exato momento em que eu, exausta, estou no fim dos meus dias, talvez um ser humano esteja caminhando na planície como eu caminhei, de porão em porão, uma mochila nos ombros, buscando obstinadamente uma resposta para as cem mil perguntas que atormentam sua alma. Sei que não vou poder esperar muito mais, que logo precisarei me dar o golpe de misericórdia que tantas vezes minhas companheiras me pediram, pois a dor já não está mais dando trégua.

De vez em quando, à noite, eu subo e me sento lá fora. Fico ouvindo. Recentemente, decidi tentar gritar, o mais alto que eu conseguia: "Olá! Tem alguém aí?". Minha voz estava rouca e fraca, mas ainda dava para escutar. De resto, escutei apenas o leve farfalhar da relva sob o vento suave. Outra vez, juntei uma grande quantidade de galhos e fiz uma fogueira que podia ser vista de longe. Mantive ela acesa a noite inteira, apesar da razão me dizer que não há ninguém. Mas ela também me diz que existem tantos porões que provavelmente, muito provavelmente, haja outro onde a sirene soou quando a grade estava aberta: e por que estariam todos mortos? A noite passa, eu penso na minha vida, na criança furiosa que provocava o guarda jovem, irritada com seu presente como se tivesse um futuro, ou subindo com leveza os cem degraus, apanhada na armadilha das ilusões no meio da planície que se estende interminável, monótona sob um céu quase sempre cinza, ou de um azul tão pálido que parece estar morrendo — mas um céu não morre, sou eu que morro, que já estava morrendo no porão —, e digo a mim mesma que estou sozinha nesta terra que já não tem carcereiros nem prisioneiros, sem saber o que vim fazer aqui, eu, a senhora do silêncio, a proprietária de porões e de cadáveres, digo a mim mesma que andei milhares de horas e que em breve darei meus últimos dez passos para deixar estas folhas em cima da mesa e voltar para me deitar no meu leito de morte, eu, a mulher velha e murcha cujos olhos, que nenhuma mão fechará, estarão sempre olhando para a porta. Gastei minha vida toda fazendo sabe-se lá o quê que não me fez feliz, ainda me restam três gotas de sangue, e essa é toda a libação que eu poderei fazer ao que o destino determinou para mim. Então eu vejo o pálido amanhecer do inverno e desço para dormir, caso a dor tenha me dado uma trégua, na cama grande onde caberiam várias pessoas.

Sempre há luz. Às vezes eu torço para que uma noite ela se apague, que alguma coisa aconteça. As mulheres se perguntavam de onde ela vinha. Eu nunca consegui entender bem as explicações delas sobre estações de energia, torres de transmissão, fios condutores, e nunca enxerguei nada que se parecesse com o que elas tentavam descrever para mim: eu só vi a planície, as guaritas e o abrigo onde estou terminando meus dias. Já faz um bom tempo que não tento mais imaginar as coisas que não conheço. Observei bastante os objetos que estão nas prateleiras do corredor e não cheguei a lugar nenhum. Talvez sejam armas, ou meios de comunicação que teriam me permitido fazer contato com a humanidade. Tanto faz. Desisti de ler e reler os livros e os tratados de astronáutica. Houve tão poucos acontecimentos durante todos esses anos que fiquei andando. Encontrei o ônibus, perdi a estrada, cheguei aqui. De qualquer forma, em algum momento eu iria morrer: mesmo se eu tivesse tido uma vida comum, como as de antes, haveria de chegar a manhã do meu último dia. Às vezes as mulheres sentiam pena de mim, dizendo que elas, pelo menos, tinham conhecido a verdadeira vida, e eu tive muita inveja delas, mas elas morreram, eu estou prestes a isso, e o que significa ter vivido quando não se está mais vivo? Se eu não tivesse ficado doente, acho que teria partido de novo e ainda estaria andando, pois nunca tive outra coisa para fazer.

Sei muito bem, mesmo quando afirmo o contrário, que eu sou a única pessoa viva neste planeta que quase não tem estações. Só eu posso dizer que o tempo existe, mas ele passou por mim sem que eu o sentisse. Eu vi as outras mulheres envelhecerem. Vou até o espelho, me olho: imagino que essas rugas nas minhas bochechas e ao redor dos olhos não existiam no passado, mas não me lembro do meu rosto antes das rugas. Tinham me explicado o que eram as fotos, mas não tenho nenhuma. Tudo o que sei sobre o tempo é que os dias se sucedem, eu sinto sono e durmo, sinto fome e como. E, é claro, eu conto. A cada trinta dias, digo que um mês se passou: mas são apenas palavras, elas não me dão realmente o tempo. Será que nunca se tem o tempo, quando se está sozinho? Só é possível obtê-lo observando sua passagem pelos outros e, como todas as mulheres morreram, agora ele passa apenas pelas plantas mirradas que crescem entre as pedras e que dão, muito raramente, o mínimo necessário de flores para formar uma única semente que cairá logo ali adiante, não muito longe, já que o vento nunca é forte, e que germinará, ou não germinará. A alternância dos dias e das noites não passa de um fenômeno físico, o tempo é uma questão para os seres humanos e, francamente!, como é que eu poderia me considerar um ser humano, eu, que só conheci trinta e nove pessoas, e todas mulheres? Acho que o tempo deve ter a ver com a duração da gravidez, o crescimento dos filhos, todas essas coisas que eu não experimentei. Se alguém falasse comigo, haveria tempo, o início e o fim do que me fosse dito, o momento em que eu respondo, as palavras seguintes. A menor das conversas dá origem ao tempo. Talvez eu tenha tentado criá-lo ao escrever estas páginas: eu as começo, as encho de palavras, as coloco umas sobre as outras e continuo não existindo, já que ninguém as lê. Deixo elas para algum leitor desconhecido que provavelmente nunca chegará — não tenho nem certeza de que a humanidade tenha sobrevivido ao acontecimento misterioso que determinou minha vida. Mas se esse leitor vier, ele vai lê-las, e eu terei um tempo na cabeça dele. Ele terá meus pensamentos nele: ele e eu, assim misturados, constituiremos algo vivo, que não será eu, já que estarei morta, e que não será mais ele tal como era antes da leitura, já que minha história, somada à sua mente, passará a fazer parte do seu pensamento. Eu só estarei realmente morta se ninguém vier, se passarem tantos séculos, e depois tantos milênios, e este planeta, que já deixei de acreditar que é a Terra, não existir mais. Enquanto as folhas cobertas pela minha escrita permanecerem em cima desta mesa, eu poderei me tornar uma realidade em alguma mente. Então tudo desaparecerá, os sóis se apagarão e eu desaparecerei, como o universo.

Porque muito provavelmente ninguém virá. Vou deixar a porta aberta e meu relato em cima da mesa, onde ele será aos poucos coberto pela poeira. Um dia, os cataclismos naturais que destroem os planetas varrerão a planície, o abrigo desabará sobre a pequena pilha de folhas bem organizadas, e elas se dispersarão entre os escombros, jamais lidas.

Descobri que estava doente há três meses. Eu estava no banheiro, terminando de defecar, quando fui tomada por uma sensação desconhecida: algo quente estava escorrendo pela minha vagina, aquela parte do meu corpo que foi sempre tão silenciosa que eu nunca pensava sobre sua existência. Me inclinei sobre o vaso e vi um grande coágulo preto com filamentos amarelados. Eu estava prestes a entrar em pânico quando perdi uma torrente de sangue, com uma dor tão aguda que desmaiei. Quando recobrei a consciência, eu estava deitada no chão e a dor tinha passado. Consegui me levantar sem muita dificuldade, ainda estava um pouco tonta, talvez por causa da hemorragia, mas passou rápido. Eu me lavei, limpei o chão manchado de sangue e, me lembrando dos ensinamentos de Théa, assei um pedaço de carne vermelha para compensar aquela perda.

As mulheres tinham falado da menopausa, mas imagino que não seja meu caso, já que nunca cheguei a entrar na puberdade. No entanto, não há nada que possa garantir que eu não tenha útero nem ovários, mesmo que eles não tenham se desenvolvido normalmente. Fiquei perplexa, então disse a mim mesma que a preocupação não iria servir para nada e tentei tirar aquele incidente da cabeça. Não sou muito habilidosa nesse tipo de atividade mental e, mesmo que fosse, não teria me servido por muito tempo: tudo recomeçou já no dia seguinte. Meus sintomas eram parecidos com os de Marie-Jeanne, que Théa dizia ter um câncer nos órgãos genitais, e que foi se enforcar na jaula quando não conseguiu mais suportar o sofrimento. Não havia nada a fazer, e comigo não vai ser diferente. Théa me contara que eles faziam operações, davam morfina. Talvez haja remédios no corredor, mas não sou capaz de reconhecê-los, e nunca encontrei nada parecido com aqueles frascos de onde os guardas às vezes tiravam comprimidos brancos para a febre.

A dor foi violenta desde o princípio e agora está se tornando muito frequente. Sofro em mais da metade do tempo, o que acaba com toda a graça da vida, e os momentos de trégua são arruinados pela minha fraqueza. Não consigo mais subir as escadas de uma só vez e, quando chego lá no alto, sinto frio. Depois de quinze minutos de caminhada, preciso descansar. O fato de não estar comendo quase nada provavelmente não seja bom para mim, mas, se me forço a comer, tenho enjoos. Meu fim está bem próximo.

Estou completamente sozinha. Mesmo que eu às vezes sonhe com um visitante, já andei demais pela planície para acreditar nisso. Ninguém virá, uma vez que só existem cadáveres. Como é que pode o pai do príncipe Hamlet aparecer para ele e falar com ele, se está morto? Os mortos não saem do lugar, eles se decompõem onde estão e, por fim, se reduzem aos seus ossos, que, ao menor contato, se esfarelam. Vi centenas deles, nenhum jamais apareceu para conversar comigo no meio da noite. Eu teria ficado muito contente se isso tivesse acontecido! Théa tentara me explicar o que significavam Deus e a alma para os cristãos. Parece que as pessoas acreditavam fortemente nisso, há menções até no prefácio de um dos livros de astronáutica. Sentei algumas vezes sob o céu, quando ele estava bem limpo, e fiquei observando as estrelas, enquanto eu dizia, com essa minha voz que ficou tão rouca: "Senhor, se você estiver em algum lugar aí em cima e não tiver muito o que fazer, venha conversar um pouco comigo, eu estou muito sozinha e isso me faria feliz". Nada aconteceu. Então só me resta pensar que a humanidade, da qual me pergunto se realmente faço parte, tinha de fato muita imaginação.

Não devo estar muito velha: se eu saí do porão com mais ou menos quinze anos, mal passei dos sessenta. As mulheres diziam que, no mundo de antes, a expectativa de vida estava acima dos setenta anos. Mas isso exigia um acompanhamento médico. Lá, eu teria menstruado, teria tido filhos e meu útero inútil não teria apodrecido. As hemorragias são frequentes, ele está se desfazendo todo, e eu sei o suficiente para não ter expectativa de que um dia não reste nada dele e eu recupere a saúde. Já faz algum tempo que venho tendo tosse e dores no peito: Théa me falou sobre metástases. De todo modo, logo chegaria a hora de intervir, mas não vou esperar, vai ser daqui a pouco, porque estou quase terminando meu relato e, depois do ponto final, não haverá mais nada para me segurar aqui.

Tão logo compreendi que estava doente, comecei a pensar nas formas de tirar minha vida. Não quero me enforcar e permanecer mumificada por toda a eternidade na ponta de uma corda. Quero estar numa postura digna, como aquele homem bem sentado entre os colchões dobrados, olhando para a frente, mas, se a dor for muito intensa, corro o risco de algo desagradável. Já não tenho tempo nem força suficiente para ir até o ônibus buscar uma das armas que coloquei sobre os túmulos, então afiei cuidadosamente uma faca: se encostar um dedo, me corto. A lâmina é fina, plana e resistente. Sei onde cravá-la para que passe direitinho entre duas costelas, atinja o coração e o faça parar. Quando a dor me deixa em paz, tenho dificuldade em acreditar que vou conseguir, mas quando ela resolve atacar, minhas dúvidas desaparecem.

Vou me deitar na cama, vou ajeitar as almofadas e os cobertores bem enrolados em volta de mim, para que meu corpo fique bem apoiado. Tudo ficará perfeitamente organizado e limpo. Espero que não haja sangue, o que eu sei que é possível. Talvez ninguém venha nunca, talvez um dia um ser humano atônito, chegando ao pé da escada como eu fiz há tanto tempo, veja o quarto e sua madeira escura, a cama bem arrumada e uma velha sentada, com uma faca no coração e um olhar sossegado.

É estranho que eu morra por conta do útero, eu, que nunca menstruei e que nunca conheci os homens.

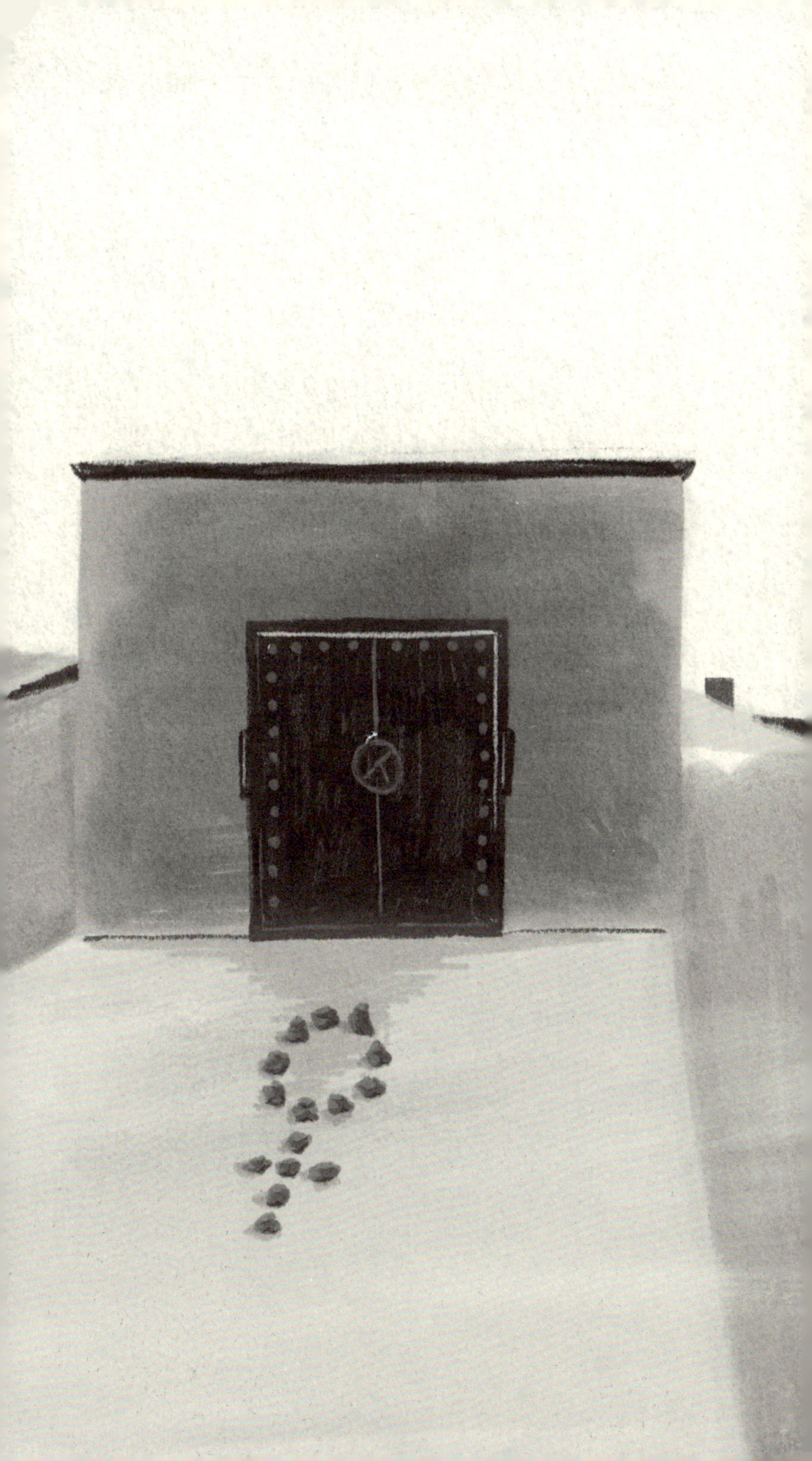

Copyright © 1995 Editions Stock
Título original: *Moi qui n'ai pas connu les hommes*

**CONSELHO EDITORIAL**
Gustavo Faraon, Rodrigo Rosp e Samla Borges
**TRADUÇÃO**
Diego Grando
**PREPARAÇÃO**
Rodrigo Rosp e Samla Borges
**REVISÃO**
Raquel Belisario
**CAPA E PROJETO GRÁFICO**
Luísa Zardo
**FOTO DA AUTORA**
Creative Commons

---

**DADOS INTERNACIONAIS DE
CATALOGAÇÃO NA PUBLICAÇÃO (CIP)**

H293e  Harpman, Jacqueline.
Eu que nunca conheci os homens /
Jacqueline Harpman ; trad. Diego Grando.
— Porto Alegre : Dublinense, 2021.
192 p. ; 21 cm.

ISBN: 978-65-5553-044-5

1. Literatura Belga. 2. Romances
Belgas. I. Grando, Diego. II. Título.

CDD 840.31

Catalogação na fonte:
Ginamara de Oliveira Lima (CRB 10/1204)

---

Todos os direitos desta edição
reservados à Editora Dublinense Ltda.

Porto Alegre • RS
contato@dublinense.com.br

Descubra a sua próxima
leitura na nossa loja online

**dublinense** .COM.BR

Composto em BELY e impresso
na IPSIS, em PÓLEN BOLD 90g/m², 
no OUTONO de 2025.